JN017309

縄文へ還ろう

三内丸山遺跡、五大文明への道

大岡静二
佐藤　力
[共著]

たま出版

まえがきに代えて

佐藤 力

日本文化は、今も昔も世界から注目されていますが、それはとりもなおさず、注目される個性を持っているからです。すなわち、他のどの文化にも見られない、特殊で独自のものがあるのです。

そうした独自の文化を培ったのは、「縄文」という、一万年以上にわたる自然と共存共栄した歴史です。

ヨーロッパを代表とする大陸の人々は、新石器革命によって農耕をおこなうようになり、定住するようになると、自然と共生しないで自然を征服しようとしてきました。人工的な村の外側には人工的な機能を持つ耕作地（ノラ）があり、ムラの周りの自然は開墾すべき対象だったのです。

一方、縄文は、狩猟、漁労、採集によって定住を果たしたため、ムラの周りに自然（ハラ）を温存してきました。自然の秩序を保ちながら、自然の恵みをそのまま利用するという作戦を実践し続けてきたわけです。しかも、そうした生活が、一千年や二千年どころでなく、一万年以上続いたのです。

欧米や大陸は、そういった歴史を持っていません。歴史の流れの先っぽに、自然との共存がないのです。

日本文化では、こうした経験が今に繋がっています。私たちは、縄文の文化的遺伝子というものを受け継いでいるのです。

では、縄文から続く文化的遺伝子とは何なのでしょう。それは言葉です。

縄文の一万年というのは、単調な時間がだらだらと長く過ぎたのではなく、そのあいだに文化遺伝子というものがたくさん生まれていきました。そのなかのいくつかが、大和言葉を介して現代まで繋がってきているのです。

我々が子供のときに習った日本の歴史は、農耕文化で自然を征服しはじめてからの歴史であって、日本文化の原点には、本来、そういう思想はありません。自然を克服するという考え方は、弥生時代以降の考えです。日本列島で農耕がはじまるまでの一万年以上、縄文時代では、その他の文明先進国がどこも体験することができなかった自然との共生を体験してきているのです。

ですから、日本的観念、日本的姿勢というのは、もともと他の国とは基盤が違うのです。

読者のなかにはすでにご存じの方もいらっしゃるでしょうが、実は、つい最近まで、小学校の教科書から旧石器時代と縄文時代が抹消されていました。縄文時代は、年表にもほとんど取り上げられていません。そのため、日本の歴史は弥生時代からはじまることになってしまう。本当にひどい話です。

一万年以上にわたり、自然と共存共栄して生まれた縄文時代の文化的遺伝子が現代まで続いているということを、私たちは忘れてはいけません。

さて、本書では、そうした縄文時代を代表する遺跡、三内丸山遺跡を中心に、食生活などの日常生活をはじめ、漁業、さらには音楽などの芸術に至るまで、その文化を広く紹介します。

この時代が、いかに文化的で豊かだったか、また、この時代の遺産がどれほど私たち現代人に脈々と受け継がれているかを、そして、それが世界に例を見ない独自の文化であったことをぜひ体感していただきたいと思います。

縄文文化と向き合っていると、その魅力に知らず知らず吸い寄せられ、それがまた自分を楽しくさせてくれます。縄文は、まさに世界に冠たる文化であり、世界四大文明に勝るとも劣らぬ、「世界五大文明」の一つに数えられてもおかしくない文明なのです。

縄文人の「ムラ」から縄文人の「ポリス」、さらに縄文人の「まほろば」として、この三内丸山遺跡の情報を世界に発信していくことは、私たち日本人に課せられた課題であり、本書を読まれた暁には、読者の方々にもご協力いただきたいと願うものです。

最後に、本書をまとめるにあたり、共著者の大岡静二氏をはじめ、多くの仲間に支えられましたが、友清裕明氏、金沢毅氏、安在人美氏、青木巴莉奈氏、林亜矢子氏の諸氏には、とりわけ多くのご尽力を賜りました。心より謝意を表します。

◎目次

まえがきに代えて —— 1

第一章　食から見た三内丸山遺跡と縄文の生活 —— 9

縄文人の食生活
四季折々の主な食べ物
縄文の暮らし
食事に対する感謝の儀式
縄文時代の秋のおやつ——クリ
ある日の食事——シカ
ある日の食事——鍋
木の実の採集

クリ拾い
クルミ拾い
クマ
ヒョウタンとゴボウ
食への直感——キノコ
縄文人たちのスーパーフード
山ブドウ酒
サルナシ酒
アケビ
ニシン
ある日の食事——鍋と団欒
縄文冷やしラーメン
知識の継承——ウニ

ミクロのミクロ
宗教のはじまり、縄文人の宇宙
死と悼み
縄文のシャーマン
縄文人たちの音楽
命の営み
縄文へ還ろう

第二章　縄文の調べ——音楽のはじまり——75

第三章　三内丸山遺跡——漁業のはじまり——89
人類初の漁業活動
縄文人のマグロ漁

第四章　三内丸山遺跡——世界五大文明への道——103
第五章　文化講演会「三内丸山遺跡と報道について」——121
第六章　三内丸山遺跡ドキュメント～発掘の軌跡——145

第一章

食から見た三内丸山遺跡と縄文の生活

大岡静二

縄文人の食生活

今から五千五百年前、青森の三内丸山地区には縄文人たちの豊かな暮らしがありました。紀元前三五〇〇年～紀元前二〇〇〇年の千五百年間、縄文人たちが定住していたのです。

この里に暮らしていた縄文人たちは、日々、どんなものを食べて、どんな家庭生活を送り、どんな困難に遭遇していたのでしょうか。どんな宗教儀式があり、意思伝達はどうしていたのでしょうか。残念ながら、この遺跡から文字らしきものはまだ発見されていません。

三内丸山での定住生活が長く続いたのは、豊富な食糧に恵まれていたからに他なりません。

遺跡の前に広がる波静かな陸奥湾は、世界でも稀な魚介類の宝庫です。おそらくは、食に困らない豊かな暮らしがあったことでしょう。

豊富な食糧抜きには、三内丸山遺跡は語れません。海以外にも、遺跡周辺は今でも山菜や山野草、木の実の宝庫です。青森の人たちは、春にはワラビ、ゼンマイ、コゴミなどを採りにいきます。初夏にはヒメタケも採れるし、秋になればイグチ類、ナラタケ、ハツタケ等の一般的なキノコ類も採れます。八甲田山山麓には、クマ、ニホンカモシカ、シカ、イノシシ、タヌキ、キツネ、テン、野ウサギといった多くの動物が生息していて、なかでも鳥類は、カモ、ガン、ムクドリ、ヒヨドリ、スズメ、シラサギなど、多種多様な種を見ることができます。

他にも、山からはクリ、クルミ、ドングリ、山ブドウ、アケビ、サルナシといった木の実が豊富に得られます。キクイモ、ノビル、サンショウは薬味になったに違いありません。

遺跡近くの海岸では、シジミ、アサリ、ホタテ、赤ザラ、ホラ貝、ツブ貝、カラス貝、シャコ、エビ、タコが獲れます。川にはアユ、ウグイ、サケ、マスが遡上してきますし、河口付近ではスズキがよく釣れます。季節によって、海にはイワシ、ニシン、サバなどの回遊魚がわんさか押しかけ、少し沖に出ればタイ、クロダイ、アイナメ、カサゴ、ホッケ、サユリ、アジ、ホシザメ、カレイ、ヒラメ、ガサエビ、イカなども釣れたことでしょう。他にも、岩ノリ、ワカメ、ウニ、アワビ、サザエも獲れますし、もっと遠くまで木船を漕いで、津軽海峡近くまで行けばマグロも釣れます。遺跡ではマグロの骨が確認されていますから、ブナなどの木でつくった船に乗って、沖まで漁に出ていたのは間違いありません。一般的な釣りの餌は、おそらく、カラス貝、サザエ、イワシ、サバの切り身などだったと思われます。

また、遺跡からは鹿の骨でつくられた釣り針や多種にわたる魚の骨も出土していますから、海の幸に事欠かなかったことがはっきりしています。豊富な魚介類によって、栄養面でのバランスがとれていたことも間違いないでしょう。湾内は波静かで、毎日漁がおこなわれていたと考えられます。

海での捕獲は、現代のような立派な漁網などというものはありませんから、マグロのような大物に対しては、黒曜石でつくったやりで突き刺すような単純な漁だったでしょう。

遺跡から出土したもので、遺伝子解析からわかっている作物には、ヒョウタン、ゴボウ、ある種の豆、クリなどもありました。これらは栽培されていた作物だと考えられています。

人間は食べ物がないと生きていけません。いえ、人間に限らず生物すべてがそうです。食べないで生きていける生物はいません。三内丸山での生活が長く続いたのは、縦穴式住居に暮らす縄文人たちが、周囲の里山の豊富な植物と動物に恵まれていたからに他ならないのです。毎日の豊かな暮らしは、豊富で新鮮な食糧抜きにはなしえないことだからです。

四季折々の主な食べ物

では、三内丸山で採れる食べ物について、季節ごとに整理してみましょう。

【春】コシアブラ、ワラビ、コゴミ、ゼンマイ、ハマボウフ、ヨモギ、フキノトウ、スカンポ、ノビル、サンショウ、アザミ、行者ニンニク

【初夏】ヒメタケ、ミツバ、ウワバミ草（津軽ではミズと呼ぶ）、野イチゴ

【真夏】ノビル、野イチゴ、ミツバ、サンショウ、ヨモギ、ツユクサ、タマゴタケ

【秋】イグチ類、ナラタケ、ハツタケなどのキノコ類、クリ、クルミ、アケビ、ドングリ、山ブドウ、サルナシ、クコの実

【冬】ニシン、イワシ、アジ、イカ、タコなど（乾燥させたもの）

そのほかに、クマ、イノシシ、日本カモシカ、シカ、タヌキ、キツネ、テン、野ウサギといった動物、カモ、ガン、ムクドリ、ヒヨドリ、スズメ、シラサギなどさまざまな鳥、豊富な魚介類がありました。

遺跡からは、ヒョウタン、ゴボウ、マメ、クルミ、クリといった、栽培物の炭化したものが発掘されていますから、五千五百年前からすでに、栽培という技術がつちかわれていたことがわかります。

「今日は満月、星も綺麗だべ。へば、ちょっとそこらに皆で、釣りに行ってくるかな。明日は釣った魚を皆で分けて焼いて食うべ」

そんな会話が交わされていたのが目に見えるようです。

縄文の暮らし

父（オド）、母（オガ）、長男（セー）、長女（リー）、お婆ちゃん（バー）、お爺ちゃん（ジー）の家族六人は、同じ茅葺屋根の縦穴式住居の一室に暮らしている。縦穴式住居のなかは、夫婦、長男、長女、お婆ちゃん夫婦がそれぞれ使えるように、上から茅（かや）を吊るし、四つに仕切られていた。

オドは、日が暮れるころ、集会所に出かけて行く。集会所に集まると長から伝達があり、皆で海辺に急いだ。丸木でつくった船に分散し、さっそく船を漕ぎ出す。

満月の月明かりなので海はかなり明るくなっている。三十メートルはあろうかと思われる船の櫓の上には、いくつもの火炎土器が灯りの火を燃やしていた。漁をしているあいだは火炎土器で木を燃やし続けるため、櫓の上にはつねに人がいて、疲れたら下にいる人たちと交代する。今夜の獲物はタイ。餌は、岩場にくっついているカラス貝だ。
各住居の主人たちが十数隻の船に分乗し、オールを漕いだ。あまり遠くに行かなくても魚は豊富にいるので、沖合数百メートルで船を停め、釣り糸を垂れる。数百メートル沖にはもっといろいろな種の魚がいるが、今日はタイ狙いだ。

タイは縄文時代に好まれた魚です。陸奥湾ではよく釣れるため、遺跡からはタイの骨が多量に発掘されています。釣り針はシカの骨でできていました。釣り糸はおそらく麻であったでしょう。糸は現代のような透明な化学繊維ではありえないし、あまり太い糸だと魚が警戒してしまうからです。麻の繊維を一本一本より合わせた糸はとても丈夫で、厳しい漁にも耐えうるものでした。釣り針は、大概はシカの骨でつくられていました。シカの骨を釣り針状に加工するためには、かなり熟練の技術が必要だったでしょう。いつの世にも、職人技と呼ばれるような技術を持った人は出現するようです。その技術の難しさゆえに、釣り針をつくれる人間は集落では貴重な存在であったでしょうし、釣り針は貴重品でした。

食事に対する感謝の儀式

次の日の朝、今で言う十時近くになったころ、「腹減ったよ」と息子のセーが言った。

「待ってろ！　今飯つくってらはんで、今日はめーものつくるはんでな」

縄目の土器のなかには、昨夜オドが陸奥湾で釣ってきたタイが入っている。黒曜石のナイフでぶつ切りしたものだ。御馳走だった。

湯気が立つと、なんとも言えないいい香りがしてくる。ほどよく煮えたところで、集落近くで取れたミツバ、ノビル、スイバ、ヨモギを入れて、火から下ろした。

「うーん、いいかまり（におい）だ」

ヨモギは現代の春菊のようで、馥郁（ふくいく）とした香りを放っている。三内丸山地区は梅雨の時期、茅葺（かやぶき）の家のなかはひどく蒸した。家族皆、食欲が減退している。オドの釣ってきたタイの鍋は、そんな家族に元気をくれるものだった。

「さー食うべ」と、それぞれ自分の土器を手にした。箸は竹だ。食べる前にオドの合図で、家族皆で土器を叩いた。これは、神に対する感謝の音だ。オドの合図で叩くのをやめると、家族は器用に竹の箸で食事をはじめた。

土器は、それぞれ形や大きさが微妙に違うので、叩いたときに出る音がさまざまに異なります。それぞれの箸で思い思いのリズムで数分叩いて音を出し、食事への感謝をあらわしたことでしょう。現代のような、宗教による儀式は存在せず、たんに音を出すことで神への感謝としたのではないでしょうか。感謝の心は、縄文時代も今も違いはありません。

縄文時代は、現代と違って、一日三食ではありませんでした。一般の家庭はせいぜい一日二食だったでしょう。なぜなら、現代に比べて、食料の調達にとても時間がかかったからです。また、縄文時代は、基本的に日が暮れたら活動しません。夜の漁に行く人以外は日が落ちれば眠ります。現代のようにテレビを見て起きているなんてこともありませんから、余計なエネルギーを消費していないのです。そうしたエネルギーの消費から考えても、二食で充分だったと考えられています。

彼らは、多く取れた獲物があれば、天日干ししたりして加工し、共同の貯蔵庫に保管していました。

天日干しは重要な保存方法です。秋から冬にかけては、大量のホッケとニシンが、湾内いっぱいに白波が立つほど押しかけ、春から夏にかけては、イワシとサバの群れが飛び跳ねるほどでしたから、保存食には最適だったでしょう。

山で獲れた動物類もまた、いったん海水にじっくり浸けて塩味を程よく染み込ませ、萱の上に干して加工していました。すぐに食べるものだけを各家の土器に保管していたのです。獣はなかなか獲れないので、大きなシカなどが捕獲されたときには、塩水につけて干し肉などに加工しました。

現代のように各家庭に冷蔵庫があるわけではないので、加工しない食材はすぐに食べないと傷んでしまいます。すぐに塩水につけて天日干ししなければ、せっかくの食材を無駄にしてしまうことになります。干して加工したものもまた、土器のなかで保存しました。

ライオンなど、野生の肉食動物はむやみやたらに弱い動物を殺すわけではありません。獲物が見つからないときはじっと我慢し、空腹のときだけ狩りをします。満腹になったら食事は終わりで、残ったものはハイエナや猛禽類が綺麗に食べてしまいます。多くの動物は、食べ残しを保管するという術を知らないのです。

縄文人は動物とは違う、知恵のある賢い人間ですから、食物を貯蔵し、保管するという知恵と技術を持っていました。また、たとえ豊富な食料資源があるといっても、現代のように便利な道具はありませんから、不漁のときも不作のときもあったでしょう。そんなときに耐え忍ぶ我慢強さも持ち合わせていました。はたして現代人に縄文人の我慢強さが受け継がれているでしょうか。

縄文時代の秋のおやつ――クリ

秋の午後は、暗くなる前に早めに夕食の支度にとりかかる。

夕食ではいつも長女のリーが大活躍だ。リーは感性が鋭く、いろんなことを感じ取れる頼もしい家族の一員だ。

オドが「そろそろ晩飯の支度でもするべ」と言うと、準備のはじまりだ。どの縦穴式住居の前にも、近くの木々を切って乾燥させたものがたくさん置いてある。そばには穴を掘っただけの調理場があり、焚き火が赤々と燃えていた。火のなかには近くで集められたクリが投げ込まれていて、パチパチ弾ける音がしている。焼き栗だ。

「そろそろいいんでねが？　へば火から取り上げて冷ましておいて」と、オドがリーに言った。

集落周辺でたくさん採れるクリは、縄文人たちにとって重要な食糧でした。主に、煮たり焼いたりして食べます。効率よく、一度にまとまった量を調理して、熱が取れたらその場でおやつとして食べることもありました。

家族みんなで、黒曜石のナイフを器用に使ってクリの皮を剥き、土器のなかに溜めていきます。黒曜石のナイフは今でいう包丁で、各家庭にとっては貴重なものでした。黒曜石は青森県では採れないものですから、黒曜石のナイフが出土しているということは、船などで他の地の縄文人たちと交流していた証拠になります。遠洋に出ていたことからしても、彼らは航海術に長けていたのでしょう。

家族は火のまわりに円陣を組んで、食べる前にはまた土器を思い思いに叩いた。見えないもの、神への感謝の儀式だ。家族のなかで一番神がかっているのは長女のリー。リーは小さいころから不思議な力を授かっていた。ときにはリーの合図で土器を叩くこともあるほどだった。叩き終えると、「へば食べるべ」とリーが言う。

「オガ、なんぼめなー、オド、どんだべ、焼けてるべか？　ジー、固くねべが？　バー、噛めるが？」

縄文人たちはみんな歯が丈夫で、皮付きの食べ物などは歯で器用に皮を剥きます。現代人のように虫歯になることもありません。

ある日の食事——シカ

さて、集落の若い者たちがシカを射止めて帰ってきた。シカは黒曜石のナイフで腹を裂き、海水を掛けながら内臓を取り出す。次に肉を削ぎ取って萱のむしろに並べていった。

狩りは数家族ごとに集まっておこなう。この日狩りに参加した家族は、皆で肉を分け合った。オドは、モモの部位と内臓付近の肉をもらってきた。肉はすぐ調理するのではない。川の水で海水を薄めたもののなかに一晩浸けて、血抜きをしてから調理するのだ。

オガは昨日から海水に浸けていた肉を竹の棒に刺して、じっくり焼いた。ほどよい焦げ目のついたところで火から下ろしてかぶりつくと、噛むほどに甘味がジワーと出てなんとも美味だ。海の水にはミネラルがたっぷり含まれているから、栄養的にも彼らの助けとなる。

「めなー。なんぼめんだべ」

家族で肉を食べるのは久しぶりだった。

獣肉はいつもいつも獲れるわけではありません。シカとてすばしこいですから、捕まえるのは容易ではないのです。一人で狩りをするのは難しいので、彼らは他の家族とも協力して、数の包囲で追い込むやり方で狩りをするのでした。

ある日の食事——鍋

「皆集まれ、飯だぞー」

家族全員、それぞれが思い思いの土器を持って火の周りに集まった。鍋はぐつぐつ煮えてちょうど食べごろだ。皆で竹の箸で土器を叩き、それぞれがてんでに鍋をつつきはじめる。

「なんぼめんだべ」

リーは笑み溢れ、満足げな表情を浮かべていた。美味しいものを食べると皆笑顔になる。

秋の主な献立は次のようなものだ。

【鮭鍋】自然薯皮付きぶつ切り、鮭のぶつ切り、サンショウ、フキ、ツルマメ、ツユクサを煮る。

【イノシシ鍋】猪の肉、菊芋、クリ、行者ニンニク、ミツバ、ゴボウを煮る。行者ニンニクとミツバ以外を煮て、行者ニンニクとミツバは最後に加える。

【熊肉鍋】熊肉、ゴボウ、キノコ、ノビル、ツユクサを煮る。

【鴨鍋】鴨を塩水で丸ごと煮てから、毛をむしり細かい肉片に切り、ゴボウ、野草などと一緒に煮る。

【鹿鍋】鹿肉、ミツバ、サンショウの葉と実を煮る。
【海鮮鍋】カラス貝、アサリ、カキ、昆布、その他の魚介類、アザミの根を煮る。アザミの根はゴボウのような独特の風味がある。

縄文人たちには、このような四季それぞれの家族団欒があったことでしょう。現代では、こうした団欒は薄れてきてしまっているように感じられます。縄文人たちの食事は、現代人から見ると実に贅沢なもののように思えます。野草類は季節によって変わり、常に臨機応変で創意工夫の連続です。

木の実の採集

実りの秋、昼ごろに村人たちが集会所に集まった。集まった人数は数十人にもおよぶ。女性や子供を中心とした、各家庭からの代表者たちだ。これから山に入り、皆で山の実を採るのだ。何を収穫するかは日によって決まっている。今日はドングリとトチの実拾いだ。

どんな場面でも、狩りや採集は集団でおこなう。少しでも安全に、確実に狩るためだ。縄文人たちは用心深い。山は獣たちの領域だから、一人で足を踏み入れて逆に襲われでもしたらひとたまりもない。

毎日少しずつ切り開いた山の道を、南の方向、つまり現在の八甲田山の方向に歩きはじめる。山の道は8の字を描くように、八甲田山の二合目付近にまで切り開かれている。8は現代でも無限大をあらわす、縁起のいいシンボルだ。

縄文人たちは道に迷わないよう、必ず8の字に一キロメートル単位で道を切り開いたのだ。八甲田の山々は森が深く、迷ったら命取りだ。

この日は秋晴れ、行く手に八甲田山がくっきりと見えた。美しい山々、自然のパノラマだ。そんな景色を見ながらの木の実拾いは実に楽しいものだった。

誰かが声を出すと、皆もその声に続く。「わー、おー！」声を出すのは獣よけと天への感謝のためだ。

縄文人たちは、どんな場面でも天への祈りと感謝の仕草を忘れない。動植物たちも一生懸命生きていることを知っているのだ。ただし、祈りの仕草は人それぞれ、思い思いのものだ。声を出したり木を叩いたり、あるいは水の入ったひょうたんが空っぽになるとそれも叩いたりした。

切り開いた縄文の道は十キロ以上にもなったが、しかし、少し先はもうシカやイノシシ、クマといった動物の聖域だ。8の字に道を切り開くことは、動物を追ったり山菜をとったりしているうちに夢中になって迷わないための秘策なのだ。縄文人たちが獲物を捕らえるための道は、実に効率よく切り開かれている。

今日は森の奥深くまでは行かない。そこまで踏み込まなくても、木の実はふんだんにある。

男たちは、女性や子供の護衛のために、黒曜石の矢尻のついた槍を持って常に先頭を歩いた。いざというときは、クマ、イノシシ、シカと命がけで戦うのだ。集落にイノシシやクマがあらわれるのは、そう珍しいことではない。

人間が動物の領域に入り込んでいるのだから、当然だろう。

八甲田山に続く森は、天然の食糧庫だ。さまざまな蝶が舞い、トンボが飛び交い、昆虫があふれる森は、いわば縄文の楽園。春から初夏にかけては山菜と山野草がふんだんにあり、秋になればひと冬越せるだけの山の幸が採れる。八甲田山麓は、まさに天然の食糧庫といっていい。

子供たちがざわついている。どうやら野ウサギとリスがいるようだ。こうした小動物に出会うのはよくあることだ。子供たちは追いかけるけれど、動物はすばしこくてとうてい追いつかない。ウサギもリスもすぐに視界から消えてしまった。子供たちは小さいころからこうして自然に触れ、生きる術を大人から教わるのだ。木の実拾いは子供たちにとって心が浮き立つものだ。森や川や海が自然の学校だった。

あまり奥まで採集にいくと、持って帰るのが重くて難儀するので、できるだけ集落に近いところで手に入るものを拾う。拾ったものは籠に入れ、背負うのはもっぱら大人だ。

全員総出で無心に拾う。ものの数時間でどの籠も一杯になった。

ドングリはアクを除いた後クルミとすり合わせ、浅めの土器になすりつけて焼くと縄文クッキーができます。トチの実はアクが強いので木灰を入れて数回煮て、その後は実を石臼ですりつぶし、団子にしたり、魚料理に入れたり、肉料理に入れたりします。栄養満点な自然の恵みです。

オドもオガも、縄文の料理人です。縄文の料理人たちは、自分が覚えたことはすぐに他の人たちに教えました。知識を惜しまず、皆と共有したのです。家庭でも集会所でも、そうした交流は仲良く続けられました。千五百年もの長いあいだ一箇所に定住した理由がここにあります。相手を思いやる、博愛の心に満ちていたのです。困ったときは知恵を出し合い、協力し合いました。

皆で持ち帰ったドングリとトチの実は集会所の前の広場に広げられ、それぞれ持ち寄った縄文土器に均等に分けられた。それらを持ち帰ると、待っていた家族はお湯を沸かし、実の入った土器に塩と灰をそれぞれ入れて煮る。煮ては冷ましを三回ほど繰り返す。

住居の前には火を燃やすところがあるので、灰が溜まっている。これを無駄にせず、捨てないで貴重なアク抜きの妙薬として用いるのだ。

灰でアク抜きができるなんていう知恵は、はたしてどこからきたのでしょうか。おそらく、トチの実を最初に湯がいて食べたときは、タンニンやサポニンのせいで、渋くてとても常食はできなかったことでしょう。カキにもタンニンが含まれていますし、ワラビやゼンマイもそうですから、そのまま料理に使ったのでは渋くてしかたなかったはずです。

私は、灰でワラビやゼンマイのアク抜きができるということを母から教わりました。母親は祖母からそれを習い、そのようにして知識は連綿と受け継がれてきたのです。

縄文人たちは好奇心に富み、直感力に優れていました。山に住む動物たちがドングリやトチの実を食べているのを見て、人間がこの実を食べられないはずがないと思っていたに違いありません。人間には考える力がありますし、試行錯誤を繰り返す能力もあります。あるとき、目の前にある灰に注目したのでしょう。役に立つものは案外そばにあるものです。もしかしたらそれは直感だったかもしれません。ただの思いつきだったかもしれませんし、偶然だったかもしれません。ともかく、灰を好奇心でグラグラ煮たつ縄文土器のなかに放り込んでみたら、食べ物の渋みが消えていたのです。

それから、灰がアクを抜いてくれると集落中に伝わり、千五百年ものあいだ、ドングリもトチの実も貴重な食糧として食べられるようになったわけです。

クリ拾い

クリは近くの森でいくらでも採れました。秋になると、同じように集まって栗拾いに行ったことでしょう。クリは煮たり焼いたりすればすぐ食べられますし、アク抜きの必要もないので扱いが楽な食材です。

最近の遺伝子解析によって、集落の周りのあちこちでクリの木が栽培されていたことがわかっています。野生のクリと栽培されたクリの遺伝子を比べると、栽培されたクリの遺伝子のアミノ酸配列のほうが整然と並んでいることが最近わかったのです。

縄文人たちはクリの実を食べるだけでなく、育てていたのです。クリは三年ほどで実をつけるので、木のなかでは収穫が早いほうです。毎年どんどん木が増えていったでしょう。

たくさん採れたクリは、とりあえず煮て、その後は家族総出で皮を剥き、腐らないように土器に濃い目の塩水をつくってそこに浸けました。冬の保存食として、どの住居でも常備されたものです。食べるときには、川の水につけて塩分を抜き、そのまま食べたりしました。

クリは、現代では糖度の高い砂糖水につけて瓶詰めされていることが多いようです。これは、濃い砂糖水では菌が繁殖しにくいという、糖の保存性を利用したものです。縄文人たちは砂糖を持っていなかったため、そのかわりに塩を使っていたのでしょう。濃い塩水もまた、菌が繁殖しにくいからです。

クルミ拾い

秋の上旬、兄妹がクルミ拾いに出かけた。二人は集落から雑木林に入っていく。集落の周辺にはクルミの木が散在している。

妹のリーがあちこちからクルミを拾い集め、籠はみるみるうちに一杯になった。

「へば、帰るべ。いっぺ（たくさん）採れたな」

「さー、いっぺ採れたはんで帰るべさ」

秋は実りの季節。遺跡からは、クルミの入ったポシェットのようなものが発掘されています。クルミは良質の植物性脂肪を含んでいて、美味しいだけでなく、栄養価も高いのです。縄文人たちは、クルミをそのまま食べたり、保存食としてどの家でも縄文土器に入れ、いつでも食べられるように大量に保存していました。縄文人たちにとって、クルミは貴重な品だったのです。

クマ

夜、集落が寝静まった夜の十時ごろ、星を眺めていたリーは、森に続く道の入り口で黒い物体が動きまわっているのを見つけた。リーはすぐにオドとオガと兄のセーを揺り起こした。

クマが出たのだ。隣の住居のシューもクマを見つけ、隣近所に知らせた。

「クマだ！ 皆来いへ！ はやぐ来いへ！」

家々から皆が黒曜石の矢尻のついた槍を持ち出し、クマを追った。各家では槍は常備品だ。生きていくために重要なものなのだ。

この地区に生息するクマはツキノワグマで、性格は臆病で大人しい。しかし、空腹とあっては話は別だ。山の恵みが不作だったのか、集落の周囲に植えられているクリを求めて近づいてきたようだった。

クマは、縄文人にとってはかなりのごちそうだ。クマを刺激しないように、音を消して静かに全速力で追いかける。クマがのんびりとクリの実を食べていたところをシユーが見つけた。

皆で静かにクマに近づく。クマは人間に気がつくと突進してきた。皆必死でクマを突く。槍でとうとう急所を突いた。

息絶えたクマを木の太い枝にくくりつけ、皆で集会所に持ち込んだ。クマは意外にすばしこいうえに力もあるので、一頭しとめるのも簡単ではない。猟銃があるわけでもないのだ。大勢での人海戦術にならざるを得ない。今夜は縄文人たちの勝利だ。

集会所では、神への感謝が思い思いのスタイルで伝えられた。

ヒョウタンとゴボウ

五千五百年も前に、三内丸山の縄文人たちがヒョウタンとゴボウを栽培していたことが遺跡の発掘からわかっています。彼ら縄文人たちは、栽培の知識に長けていたようです。

現代では、ヒョウタンにはククルビタシンという、嘔吐と下痢をともなう食中毒を起こす物質が含まれているのがわかっています。しかし、縄文人たちには化学物質の知識はありません。すべて自分たちの目、口、鼻でたしかめ、手で触り、直感で判断していたのです。

現代では、毒の少ないヒョウタンが食用として栽培されていますが、縄文人たちは五感で実際にたしかめて、食べられるという判断をし、食用のために栽培していたのでしょう。

毒のあるものを栽培するというのはおかしいことのように思えるでしょうが、ククルビタシンは苦みとして感じられますから、縄文人たちは自分たちの体をもって毒のあるなしを判別し、食用にできる品種かそうでないかを判断したのでしょう。

採取して、その日食べる以外のものは、黒曜石のナイフで細長く切って天日で干すことで、保存食として利用していたと考えられます。そのあたりは現代と一緒です。縄文時代には砂糖がなかったので、現在のかんぴょうのように甘く煮ることはできなかったでしょうが、冬のあいだ、鍋類の具材として使用するには問題なかったはずです。

ヒョウタンの独特の形や、多孔質であることで中身の温度が低く保たれることを利用し、果肉を食用とした後、外殻を器としても使っていたと思われます。果肉をくり抜いて、乾燥させ漆を塗って、ブドウ酒やサルナシ酒を入れたり、水入れとして使っていたのでしょう。

他にも、空洞の大きさによって違った音が出るので、吹いたり、叩いたりといった、楽器のような使い方をしていたかもしれません。

ゴボウは肉類、魚類ととても相性がよい食材だ。縄文時代は、どの住居でも家のまわりに植えていた。必要なときに抜き取って使うのだ。

今日は久しぶりに大勢で狩りに出かけ、イノシシが数頭獲れた。集会所に行ったオドが肉を持ち帰った。今日の食事は猪鍋だ。

ゴボウを、黒曜石のナイフで薄く削ぐ。ゴボウを切るのはオガの仕事だ。やがて縄文土器の底にゴボウが敷き詰められ、その上に切られたイノシシの肉が置かれた。あとは塩と、近くの川から組んできた水を加える。縄文時代は川の水が化学物質に汚染されていることもない。上流からおかしなものが流れてきたりもしないので、水が澄んでいる。これを、竪穴住居の真ん中にある炉でぐつぐつ煮た。

オドが縄文土器の鍋を叩いた。祈りの音だ。しばらく目をつぶった後、「さー食うべ」と、オドが言った。

「なんぼうめんだべ、オド、オガ、ありがっと」

家族皆で、楽しく美味しい食事である。

ゴボウは、現代のように醤油も味醂もありませんので、甘いキンピラゴボウはつくれなかったでしょう。しかし、おそらくは猪の肉から出た油とともに火を通したり、先述のように鍋にしたりして食べていたのでしょう。

食への直感——キノコ

縄文時代、夏から秋にかけて三内丸山遺跡周辺にはさまざまなキノコが生えていました。では、縄文人たちはどのようにして、そのキノコが毒なのか、食べられるものなのか判別していたのでしょうか。

昨年私は、秩父の山や八甲田山の田代平で真っ赤な芸術品のようなタマゴタケを発見しました。縄文時代の三内丸山遺跡周辺にもこの真っ赤なキノコが生えていたのは間違いないでしょう。この真っ赤なキノコは、ナポレオンが好んで食べたキノコとしても知られていて、「皇帝のキノコ」とも呼ばれています。

はたして縄文人たちは、この真っ赤なタマゴタケを食べていたのでしょうか。現代であっても、人によっては見た目の赤さで敬遠されることがあるほどのキノコです。私の想像ですが、おそらく縄文人たちもこのキノコを食べていたと考えています。なぜなら、いつの世でも必ず、好奇心旺盛な優れた感性の人が存在すると信じるからです。少しかじって舌で確かめたり、匂いを嗅いだりする人は、どんな時代、どんな国を問わず、必ず存在しています。ナマコもホヤもウニも、見た目がどれだけ食べられそうになくても、人間は好奇心をもってそれらを口に運んだことでしょう。鋭い嗅覚、味覚を持ち、感性もいまより鋭かったと思われる縄文人ですから、食べられるかどうかというアンテナも敏感だったに違いありません。

他のキノコについても、現在の青森の人たちが一般的に口にしているナラタケなども同じです。ナラタケは青森ではサモダシ、北海道はボリボリといいます。縄文人たちはこのキノコを鍋に入れて食していたに違いありません。たくさん採れたときには塩水に浸けて虫出しし、乾燥させて保存していたと考えられます。

私は、あの真っ赤なキノコを生まれてはじめて高尾山で採取した感動が忘れられません。今から十年以上前、大学の同級生たちと高尾山に登り、脇道の奥に目をやったとき、この真っ赤なキノコを見つけたのです。鮮やかな赤が気になり、藪をかき分けて採取しました。

まず匂いをかいでみると、いい香りがしました。誰からも教わったことはないのに、なぜか、このキノコは食べられるのではないか、と私は確信し、数個胸に抱えて下山しました。

行き交う人たちは、おそらく私が毒キノコを持っていると思ったに違いないでしょう。あんな毒キノコを抱えて、あの人いったいどうするんだろうという視線をずっと感じていました。

下山ののち、売店の店主に聞いてみたところ、私の持ち帰ったものが食べられるキノコだと教えてくれたのです。縄文人たちも私と同じ感覚でいたに違いないと思えました。何の知識もないところから食べられると判断したこの直感力こそ、未知の食べ物の安全を見極める判断の基礎だったはずだと思ったのです。

家に持ち帰ってバターでソテーし、恐る恐る食べてみました。一時間たっても口の痺れもなく、異常は見受けられません。慎重を期して残りは翌日の朝に食べましたが、一晩たっても異常はありません。食べられるキノコだと確信が持てた瞬間でした。

口にしたことがないものはまず臭いを嗅ぎ、次にかじってみる、ということです。

縄文人たちも私と同じ感覚で、食材を一つひとつ、食べられるかどうか検証していったのでしょう。そうした発見が人から人へ連綿と伝わって今があるのです。

私が小学六年生のとき、八甲田山の蔦沼に遠足に行った際、ミズナラの木の根元に生えていたキノコを見つけたのですが、そのときも同じでした。匂いを嗅いだらとてもいい香りで、本能的に「食べられるものだ」と思い、家に帰って調べてもらったところ、間違いなくそれがマイタケだとわかったのです。

何の知識もない幼い私が、臭いだけで「食べることができる」と直感したわけです。縄文人たちも同じです。縄文人も現代人も何も変わりません。地道に一つずつ、食べられるものとそうでないものを確認していったのに違いありません。

縄文人たちのスーパーフード

エジプトの遺跡から、スーパーフードとしてブラックシードが発見されていますが、三内丸山の縄文人たちにとって、山ブドウとサルナシはブラックシードに負けないいくらい元気の出るスーパーフードです。山ブドウとサルナシは栄養分に富んでいます。紫の色の濃いのはアントシアニンを豊富に含んでいて、疲れ目などに効果があります。

八甲田山周辺は山ブドウの宝庫だ。そのお陰でブドウ酒、山ブドウジュースがどの家庭でもつくられた。縄文土器は多孔質なので、ざらざらした部分には酵母菌が繁殖しやすい環境だ。だから、土器はぶどう酒、サルナシ酒を発酵させるのにもってこいだ。大人は発酵させた山ブドウ酒を、子供らは発酵させないで一回さっと沸騰させた山ぶどうジュースを飲んでいた。

特にお爺ちゃんお婆ちゃんたちは、ブドウ酒が大好きだ。深い深い紫の色に感謝を込めて、縄文土器で乾杯する。山の恵みに、星空に向かって宇宙に乾杯するのだ。

縄文人の家庭では、こぞって山ブドウ酒がつくられた。

秋もおしせまったある日、オドは息子と娘を連れて裏山に出かけていった。数百メートル入ると、山ブドウが程よく紫色に色づいていた。

「さー、採るべ」

オドたちは時々摘んでは口に入れた。

「すっぺーな」

酸いなかに甘さもある。皆山ブドウが大好きだ。

「ちょっとひと休みするべ」

しばらくして、座ってみんなで喉の渇きを潤した。ほどよい酸っぱさと甘さで疲れも取れる。家族の笑いがあった。

山ブドウ酒

山ブドウ酒は縄文人の大きな楽しみの一つでした。縄文のスーパーフードと言われるものには、山ブドウ、サルナシ、アケビ、野イチゴ、クルミなどがあります。エジプトのお墓から発見されたブラックシードほどではなくとも、自然に生えている恵みでした。

なかでも山ブドウジュースは、縄文の点滴といってもいいほど元気が出る飲み物です。山ブドウを沸騰させ、冷ましておいた水で薄めたものを、熱っぽいときや、元気のないときに飲みました。縄文時代の山ブドウ果汁は貴重なミネラルジュースだったのです。

裏山で採れた山ブドウを家族みんなで食べ、残りは縄文土器に入れて潰してジュースにしたとき、そのまま置いておくと、泡がブクブク出ます。天然のブドウ酒ができることを縄文人たちは知っていたのです。三内丸山遺跡における大人の楽しみは、この山ブドウの色鮮やかなワインでした。

サルナシ酒

秋に収穫できるサルナシもまた、重要なものです。サルナシは採ってきてすぐにそのまま食べられます。現代でもデザートとして食べられています。縄文時代における貴重な甘味、山のデザートです。

集めて縄文土器に入れておき、自然発酵させたりもしたでしょう。果物類の果皮には天然の酵母菌がいて、これらは縄文時代も大活躍していたのです。

サルナシは北海道ではコクワと呼ばれています。切るとまるでミニキウイのようです。サルナシはキウイの原種とも言われています。

サルナシ酒、サルナシのジュースもまた、よくつくられていたことでしょう。

アケビ

アケビは、山ブドウを採りに行くついでに、ぶら下がっているのを容易に発見できたと思われます。

アケビはまだ若いツルも食べられるし、実が熟してからは甘いので縄文人も好んで食べたことでしょう。あまり知られていませんが、実を食べた後の皮もまた食べられます。余すところのないスーパーフードです。

ニシン

三月はニシンの季節だ。産卵のために浅瀬に押しかけるのである。陸奥湾にも、海が白くなるほど大量にやってくる。

縄文人たちは、植物の繊維で編んだ手編みの網を準備して、夜いっせいに船を出した。ニーニーニー。陽気に声を出して丸木の船を漕ぎ出した。手でもすくえるくらいのニシンがいる。船がニシンの重さで沈むくらい、獲れるだけ獲った。あまりの豊漁に重さで船が沈んでしまいそうなくらいだ。

やがて、積みきれないほどの魚を乗せて、皆は灯りの方向に船を漕いだ。

「皆、もうすぐ海岸だど」

海岸ではオガと娘たちが手を振って、オドたちが帰るのを待っていた。

ニーニーニー。喜びの声が上がる。家族はもう目の前だ。

ニシンは、家族総出で腹を割いて海水で洗う。卵と白子は分けて、それぞれ縄文土器に納めた。ニシンは干したら日持ちするので、よく天日で干した。生でも干しても食べられるニシンは、いつの季節でも食べられる魚だった。

「ニシンがたくさん獲れたはんで、今夜はちょっとめーものつくるべか」とオドが言った。

オドは娘のリーに、山ブドウワインを持ってくるように言いつけた。ワインは入り口の裏側に穴を掘った貯蔵庫に寝かせてある。すぐにリーが重そうにワインの入った土器を持ってきた。

内臓をとって海水で洗った新鮮なニシンを、口の広い縄文土器に敷いていく。あいだにはサンショウの枝を敷いて、重ねていく。土器に積み重ねたところで、山ブドウのワインをひたひたに注ぎ込んだ。

「さー、明日でも食べれるぞ」

ワインで漬け込んだニシンいずしのできあがりだ。

ワインによく合う最高のご馳走だ。生のニシンがなくても、干したニシンを山ブドウ酒に漬けるだけで同じものができる。ワインのアルコールがよく染み込んだいずしを家族で食べた。

「なんぼめーんだべ」

家族全員、異口同音に声を発した。

ニシンは船で漁に出なくとも、砂浜までピチピチ跳ねるほど押しかけてきた。腰ぐらいまで海水に浸かると、いくらでも竹のザルですくえた。

ニシン鍋もよく食べられる料理だ。土器に海水と皮の水を入れて煮立て、そのなかに家族分のニシンを入れる。ニシンは卵をはらんでいるのと白子と二種、それぞれに味がある。煮立ったお湯にニシンを入れると、ニシンの油がキラキラ輝いてなんともいえない香りが漂う。これ以上何も入れなくても、これだけで美味い。

ある日の食事——鍋と団欒

今日は鍋だ。まず土器に水と昆布を入れ沸騰させる。そこに海水につけておいたアサリを入れ、次に保存しておいたクリの実を入れた。次にイワシを丸ごと入れた。そして最後に、集落の近くで採取したアザミの若い葉っぱを入れる。アザミの若い葉っぱはクセがなく美味しい。あとは煮るだけだ。ほどよく煮たところでできあがりだ。葉っぱ類の緑が濃いうちに食べる。

オドが土器を叩く。オガ、息子たちもいっせいに叩いた。

「さー、食うべ」

それぞれの食器にイワシ、アサリ、クリ、アザミなどが彩りよく盛られた。火を囲んで一つの鍋を突っつく。縄文人たちにはいつも家族団欒があった。

縄文冷やしラーメン

今日はかなり暑い。気温が上がりすぎると、さすがに縄文人たちとて食欲は落ちる。当然、あっさりしたものを食べたくなる。

「オガ、あっちーな、今日は何を食うべ。腹減ってきたな」

「んだなー、へば、今日はちょっと変わっためーものつくるべ」

オガは、まず干しておいた昆布を手でバリバリ割って土器に放り込み、海岸で獲ったアサリを入れて、汲んでおいた海水と川の水を合わせ、塩加減を調節して火の上に乗せ、出汁（だし）が出るまでぐつぐつ煮た。

「もうそろそろいーべ」

昆布の旨味成分がほどよく醸されたところで、土器を火から下ろす。次に、モズクを沸騰したお湯に入れ、木の繊維でつくったザルですくい上げ、汲んでおいた川の水を通して熱をとった。陸奥湾のモズクは細くて繊細だ。モズクは鮮やかな緑色に変わる。縄文土器に冷ましたモズクを乗せ、アサリを散らし、その上に周辺で採れたミツバとサンショウの葉っぱをのせて出し汁を注げば、縄文ラーメンの完成だ。縄文時代には、現代のような麺はない。麺の代わりとなったのが陸奥湾で取れたモズクだ。緑の色が綺麗で食欲をそそる。

「さー食べるべ。めよー」

オドのかけ声で、家族は皆でスルスルと啜って食べた。夏の暑い日でもさっぱりとして、いくらでも食べられる。細いモズクは実に喉越しがよかった。

青森のモズクは沖縄のモズクと比べて細く、糸のように繊細な食感です。アサリのグアニル酸と昆布のグルタミン、この二つの旨味成分が最高の味をつくりだすのです。縄文ラーメンは、現代の添加物の入っているラーメンと違い、天然の物だけでできています。

日本は世界一の食品添加物使用国です。なぜ、こんなにたくさんの添加物を使わなければならないのでしょう。

知識の継承――ウニ

集落の目の前の海岸では、集落の女性と子供たちが水遊びに夢中だ。泳いだり、小エビ、アサリ、カラス貝、ウニなどを獲って遊んでいる。今のような水中メガネがなくても、海がきれいなのでいろんな生き物が手に取るようにわかる。

縄文の海は生き物たちの天国だ。

「オガ、この、紫のとげみたいなのがいっぱいくっついた生き物はなんだべ。針が動いてる、よきもーい」と子供が感嘆の声を上げた。

「それ食べられるんだよ」オガはそばに転がっている大きめの石の上に、子供の持ってきた生き物を乗せて、小さめの石で少しずつ叩いて刺を除き、殻を割った。なかからオレンジ色のブヨブヨしたものがあらわれる。指ですくって海水でサッと洗って口に入れた。

「めー」

「オガ、そったらもの、めーわげねべさ」

恐る恐る子供たちも口に入れてみる。「めー」子供たちの歓喜の声があがった。オガが言ったとおり、美味かったのだ。

こうして親から子へ、ウニの食べ方、味が伝えられていったのです。知識はこうして刻み込まれていき、それが現代までつながっています。

ミクロのミクロ

三内丸山縄文人の千五百年の暮らしは、広い宇宙から見ればミクロのさらにミクロの世界の出来事です。

縄文人たちの魂がどこから来たのかは、誰にもわかりません。もしかすると、無限に渦巻く銀河の向こう、遠い星から来たのかもしれません。

縄文の昔から、空には同じ太陽があります。月もあり、火星も木星も変わらず存在し、空には無数の星が輝いていました。

現代のように自動車が走り、地下鉄が走り、金属の塊の飛行機が飛び交う、摩天楼が林立する景色など、縄文人には想像すらできなかったでしょう。

私たち現代人は、縄文の生活を、発掘された遺物をもとに想像することができます。遺伝子の二重らせん構造のアミノ酸配列のなかに、縄文人たちの歴史が刻み込まれているのを知ることができるのです。物質的には縄文時代にそっくり戻れなくても、魂は自由に戻れるはずです。

縄文人たちはどこへ行ったのでしょう。四千年前、三内丸山遺跡の縄文人たちは忽然と消えてしまったのです。千五百年も生活を続けてきた縄文人たちはどこへ消えてしまったのか。船で新天地を求めたのか、現代のコロナウイルスのような病気が蔓延したのか、これはいまだ解かれていない謎です。

リーは宇宙を渡り歩いてこの縄文の家族に生まれたかもしれないちょっと変わった子だ。見えない何かに語りかけている姿をオドとオガはじっと見ている。

リーは、たまに天の星たちを眺めて声を出している。彼女の不思議な雄叫びは、天に懐かしさを感じて宇宙と会話しているようにも思えた。

宗教のはじまり、縄文人の宇宙

火炎土器に松ぼっくりの火を灯し、土器を持ち出し枝で叩く。松ぼっくりは貴重な燃料だ。昨夜獲れた大マグロの身が大きい鍋に入れられてぐつぐつと煮えていく。あちこちから器の音色がひびく。声が響き渡る。

「あ～ち～も～え～」

宗教のはじまりは、こうして土器を叩いて、感謝の念よ宇宙に届け、という思いだったのではないかと思います。

満月の夜、月を眺めながら思い思いに土器を叩いて、月に宇宙に感謝したのです。土器の音よ、月に届けよと、思い思いに叩いた音が一つになって星空に吸い寄せられていきます。宇宙への感謝は、すなわち神への感謝です。今日の恵みに、自然に、親兄弟に、皆に感謝する心です。

こうした心を、現代人は忘れているのではないでしょうか。

縄文時代には、石油からつくられるプラスチックなどありませんでした。海も川も化学製品とは無縁で、海も川も自然そのものだったのです。川も海も山も、現代人はどうしてここまで汚してしまったのでしょうか。取り返しのつかないところまできているのは、感謝する心を忘れているからではないでしょうか。

たびかさなる地震、福島原発による放射能汚染、農薬汚染、台風や大洪水による被害も、猛威をふるうコロナウイルスも、現代人への警告に思えてなりません。

今こそ、地球浄化に立ち上がる時期なのです。

現代はいろいろなもので溢れ、縄文の昔よりはるかに便利です。しかし、そうした大量のものは、時間がたてばゴミになるものばかりです。溢れたものは環境に負荷をかけ、流れ出た化学物質は動物や魚の体内に入って汚染してしまいます。空気も食べ物も汚されています。だからこそ、いま、縄文時代の何の汚れもない自然の生活を思い出し、魂を回帰させるべきではないでしょうか。

五千五百年前に青森に存在した縄文時代の集落、千五百年ものあいだ一箇所に定住していた縄文時代のまほろばの里は、殺し合いも戦争もない平和な世界でした。資源をめぐる争いもなく、土地をめぐる争いもなく、食べ物の奪い合いもない、豊かな自然に恵まれた平和があるだけでした。

地球という美しい惑星の上で、千五百年のあいだ平和を築いてきた縄文人たちの魂は、いったいどこから来たのでしょう。

霊魂は不滅だと言われています。縄文人たちは縄文時代の肉体を借りて生きているだけで、肉体が朽ちたらまた新たに生まれた肉体に移って乗り物を替えていくのです。肉体が朽ちてはまた新しい肉体へ移る、これがずっと繰り返されて現在に至っています。ですから、私たちのなかにも確実に縄文人の遺伝子が組み込まれ、魂が受け継がれているのです。

魂は量子みたいなもので、目には見えませんが、とてつもないスピードを持っています。量子は宇宙の彼方から想像もつかないスピードで地球に到達できます。太陽から地球に届く光のスピードは毎秒三十万キロですが、量子や人間の念はそれ以上のスピードを持っているのでしょう。

では、縄文人の肉体はどこからやってきたのでしょうか。銀河の彼方から宇宙人が運んできたのでしょうか。

こうした考えは、六十兆個とも、三十七兆個とも言われる細胞で構成されている人間の肉体が、とても自然発生したものとは思えないからこそ浮かんでくるものです。
人間の身体は神によってつくられ、そこに宇宙から来た魂が入り込んだのでしょうか。魂は肉体が朽ちたらまた次の肉体に乗り移っていき、肉体が朽ち果てても魂は生きていて、宇宙から来た魂が次々と人間の肉体を乗り移っていきます。魂にはそれぞれ試練が与えられていて、それを乗り越えた魂はどんどん成長していく……そんな考えも浮かびます。

亀ヶ岡で発掘された遮光器土偶などは、どこからどう見ても宇宙人のイメージが重なります。ひょっとしたら、縄文人は宇宙人と接触したことがあったのかもしれません。多くの知恵を宇宙人から授かったのかもしれません。

その根源が宇宙人であってもなくても、人間は一人の力では生きられません。そのため、いままでの多くの魂が知恵を出し合い、助け合って、それが文化となり文明となってきました。知恵を誰かから授かり、また受け継ぎ、縄文人たちの知恵はどんどん大きくなり、ＤＮＡの二重らせん構造に刻み込まれていったのでしょう。

死と悼み

さまざまな植物の芽吹く目覚めの春。いろいろな植物が芽吹いてくる。花も咲きはじめ、さまざまな色の蝶々が飛び交う。生あるものたちの命の始まりの季節だ。

そんななか、数軒向こうに住んでいるオドの友人のシーが突然亡くなった。シーのオガから知らせを受けたのは、イノシシ狩りから帰った夕刻だった。シーは六十代後半で、三内丸山では長老に属する。

三内丸山遺跡に住んでいた人々の平均寿命は、分析から平均三十五歳前後と言われています。平均寿命が低い理由はさまざまで、生まれてすぐに亡くなったり、免疫の未熟な子供たちが病気で亡くなったりするケースが多かったせいもあるでしょう。現在、コロナウイルスが騒がれているように、縄文の時代にもさまざまなウイルスが存在していただろうことは想像に難くありません。今あるものは昔もあったのですから、いろんなウイルスは昔から存在していて、突然空中からあらわれたわけではありません。ウイルスもまた人間と同じように神の創造物なのかもしれません。

オドとシーは同じころに生まれた馴染みだった。シーの様子がおかしいと聞いたオドは急いで知人のキーに声をかけた。キーはオドとシーの共通の友人で、三十歳を過ぎた女性だ。キーは仲のいい友人であるエミーと一緒にいた。エミーは事情があり一人暮らしだ。連れは病気で死んだ。だがエミーは母として子供二人を育てあげ、幸せに暮らしている。エミーは小さいころから山野草に詳しく、知識も豊富だった。縄文チンキをつくることが得意だった。

縄文チンキとは、ドクダミの白い花やハート型の葉っぱを山ブドウワインに漬け込んでつくる薬のことです。そのまま飲んだり、虫刺されにつけたり、肌荒れにつけたり、日焼けに塗ったりして使います。

ともかく、女性二人も急いでシーの家に向かった。

シーは静かに麻のムシロに横たわっていた。オドとキーとエミーの三人はシーの身体を揺さぶった。だがシーの目は閉じたままだ。

「どしたんだば、起きろ！　なしてうごがねんだ」

必死で代わる代わる揺り動かし声をかけるが、シーは何の反応も示さない。

シーを囲む三人のなかに、得体の知れない感情がこみあげてきた。数日前まで顔を合わせていた仲間が動かないのだ。動かなくなったシーを見たら、とめどもなく涙が溢れ出てきた。

「シー、シー、起きろ！　目覚ませじゃ！　なしてうごがねんだ」

神様とて、死者を呼び戻すことはできない。シーは寿命だったのだ。自然の摂理だ。

シーの亡骸は一晩中、同じ茅葺屋根の下で彼の家族と過ごした。

次の日は快晴だった。朝から眩い光が里全体を照らしている。

海に続く道の北側に穴が掘られた。オドもキーもエミーも、一緒に木べらで穴を掘った。無心で掘った。お日様が天頂に来るころ、シーの亡骸は皆に静かに運ばれ、穴の底に静かに横たえられた。

お別れのときだ。皆で少しずつ、シーの体に土がかけられていく。手で一握りずつ土がかけられ、最後に顔が残った。シーの表情は実に穏やかだった。最後に家族の手で顔に土が掛けられた。

「へばな！　へばな！　へばな！」

「今までありがとうな！」

皆の目から大粒の涙がとめどもなく流れる。縄文の時代も今も、同じく別れは悲しくつらいものだ。今も昔も何も変わらない。五千五百年のときが過ぎても、人間の感情は何も変わらない。

盛り上げられた土の上に、さまざまな花が置かれた。花が置かれてしばらくすると、どこからともなく、黒い鮮やかな一匹のアゲハ蝶が花に舞い降りてきた。アゲハは少し花に留まった後、天高く舞い、いずこかに飛び去って行った。ひょっとしたら、アゲハはシーの化身だったかもしれない。

最後のお別れだ。それぞれの家から持ってきた土器を木の枝で思い思いに叩いた。土器は食器として使われていただけではなく、こうして楽器としても使われていたのだ。家から持ってきた土器をひたすら叩く。シーとの過去の思い出や、悲しみ、寂しさ、祈り、それぞれに湧き立った感情を土器の音にしてあらわすのだ。天まで届け、縄文の音。

感情が昇華され、土器を叩いているうちにだんだんと悲しみが薄らいできた。いつの間にか、悲しみがシーに対する感謝の念に変わっていった。

縄文のシャーマン

シーは、具合の悪そうな人がいれば痛い部分を手でさすってやったり、手かざしをしたりして相手の痛みを消してくれた。超自然的な能力を持っていたのだ。いわば彼は、縄文のシャーマンだった。里の人たちに、頭が痛い、お腹が痛い、足が痛い、腰が痛いという不調があれば、皆シーの家に駆けこんだ。

どこでどうしてそんな力が彼に備わったのかは、誰にもわからない。ただ、シーが真夜中に家の近くの空き地で、満点の星を眺めて星空に手をかざしている姿を多くの人が目撃していた。三内丸山地区の星空には流れ星がひっきりなしに見えた。シーはまるで宇宙と会話しているようだった。聞いたこともない呪文のような、不思議な言葉を発していたこともあった。

彼はひょっとしたら、宇宙にいる魂と会話していたのかもしれない。

病気を治したり怪我を処置することを「手当て」と言うように、実際に手を当てることで苦痛が軽減する効果があることは、現代でも認められていることだ。そうした手当ては、縄文時代からおこなわれていた。シーは多くの人たちをそうやって献身的に助けてきたのだ。

シーは、誰か困っている人がいると、いつもキーとエミーに伝えた。キーもエミーもまた好奇心旺盛な女性だったから、三人はよく一緒に行動していた。女性二人は植物に詳しく、小さい頃から草木が大好きだった。

あるとき、里の子供が腕をハチに刺された。それを聞いたシーたちは、子供のもとへ駆けつけた。

「キー、エミー、せばだば、白い花のついたくせー葉っぱが生えでるべ、あれ取って来てけねが」

「あれだべ、わがった」

シーは、蜂に刺されて腫れ上がった子供の腕に葉っぱを貼り付けた。その葉はドクダミである。天然の貼り薬だ。シーは、ドクダミが怪我や傷に貼るとよいということを、キーとエミーに教わって知っていたのだ。ドクダミなどの薬草もまた、縄文時代と今で何も変わっていない。ドクダミは五千五百年前も今でも、そこらじゅうに生えている。

エミーの家には、ドクダミの葉を集めて潰して山ブドウの発酵液と混ぜたものが常備薬として置いてあった。お腹の痛いときや元気のないとき、これを飲めば痛みから解放されて元気になる。また、虫刺されや虫除けにも効果があった。

好奇心の強く知恵の詰まった人というのは、どんな時代にも必ずいます。それがなんであれ、誰にでも得意なものがあり、一人ひとり優れたものを持っているのです。人間は皆、誰かから必要とされて生きています。

そうした、それぞれの得意分野でもたらされてきた知恵が、遺伝子に蓄積されて現代に至っているのです。現代人の生活に続く、脈々と伝わってきた情報です。AGCT、アデニン、グアニン、シトシン、チミン、これら塩基の組み合わせに無限の情報が記されてきたわけです。

シーとキーとエミーがみんなから慕われたように、人から頼られる存在になるのは理想な生き方といえるでしょう。

さて、縄文時代にすばらしいシャーマンがいたように、現代にはもっとすばらしい人がいます。どんな病気でも手を頭にかざしただけで瞬時に診断し、瞬時に原因究明し、瞬時に治療ができる人です。信じられないという方も多いでしょう。縄文時代に生きたシャーマンのシーより、もっとすごい人が日本にいるのです。

私は昨年のクリスマスにその治療家と出会い、人生最大の衝撃を受けました。大学時代に化学を専攻してきた私にとっては、かなりの衝撃でした。一年前、私は歩くたびに足の指に激痛が走るようになっていて、痛みをずっと我慢して歩いていました。そろそろ整形外科に行かないとまずいかなと思っていた矢先に、ご縁があって、その治療家の施術を受けることになったのです。診察を受けるまでは半信半疑でしたが、二十分の施術が終わったとき、激痛の八割は消えていました。足をかばうように歩いていたのが、帰りには普通に歩けるようになっていたのです。

さらに、初期の緑内障で眼科に通っていたのですが、これも一瞬で治ってしまいました。癌や糖尿病といった病気はないと太鼓判を押され、とても安心しました。それからは眼科にも行っていないし、緑内障の進行を止める目薬の点眼もしていないのですが、悪くなっている様子はありません。

それからというもの、いろいろな人に紹介し続け、案内した人は百人を超えます。そのうちの四人は、病院で乳がんと診断を受けた人でした。私が紹介した人のうち、たった一人を除いてほぼ全員完治しています。

神様の存在を信じる心と感謝の気持ち、この二つが持てる人であれば、病気は治るとわかりました。この治療家の先生のおかげで、私は今日も元気で文章を書いていられます。日々、感謝しかありません。

世間には、目の前で起きることしか信じない唯物論者も数多くいますが、私の体験した事例のように、奇跡的な出来事は存在しているのです。

縄文人たちの音楽

縄文の響きは、平和への感謝と祈りといっていいでしょう。

木と木を叩く単純な音ですが、音にはさまざまなリズムがあります。縄文人もまた、現代人のようにさまざまな楽器を使って音楽を奏でていたことでしょう。それが現代のような、ピアノやバイオリンや、フルートやサックスといったかたちをしていなくても、食事の前にタンタンと木の枝で叩いてリズムを起こしたように、葬儀のときに悲しみを音に託してあらわしたように、縄文人は音を奏で、無意識かもしれませんが、感謝と喜びを、さまざまな感情を表現していたことでしょう。

大きさの違う土器を並べ、硬い木の枝で現代のドラムのように叩いたこともあったかもしれません。きっと、それぞれの家の音楽があったことでしょう。

現代人が家で思い思いのアーティストの音楽を聴くように、縄文人たちもまた、同じことを楽しんだのです。


縄文の円筒土器は、家々で思い思いにつくられていたようで、さまざまなものがあります。細長いもの、ずんぐりしたもの、上が開いたものなどなど……。土器だから割れることも多く、割れたものはきちんとゴミ捨て場が存在していて、決まったところに捨てられていたようです。

命の営み

陸奥湾は一年を通して穏やかな日の多い海だ。遠くに夏泊半島、その先には下北半島の山々が見える。縄文時代は浅虫方面までずっと白い砂浜が続いていた。五千五百年前、三内丸山遺跡の海岸は風光明媚だった。

オド家族は暑さで眠れず、夜の海岸を散歩することにした。春にニシンをたくさんとってきて魚の内臓を洗った海岸だ。

東の方面に向かって海岸をゆっくり歩いた。月が天頂に昇るころだ。

砂浜に目をやると、足に光るものがまとわりついている。眩い光がキラキラ輝いていた。

「オド、これなんだべ」

「海ってこんなに光るんだ、なんぼ綺麗なんだべ」

息子娘たちは、あまりの美しさに感嘆の声をあげた。光の正体は無数の夜光虫だ。柔らかい幻想的な光は、まるでどこか遠い星のパラダイスのように美しかった。

「こったらに美しい海辺は一体誰がつくったんだべ。ここはまんず綺麗だっきゃ、人の魂って、肉体から離れたら、ひょっとしたら、こったらに綺麗な光輝くところに自由に行けるんだべか」

「なして光ってるんだべ。なしてこったらにたくさんいるんだべ。なしておらたちはここさいるんだべ」

オドは、子供たちの会話を聞きながら、心のなかで『まんず嬉しいな、まんず楽しいっきゃ、なんぼ幸せだべ、愛してる、大好きだじゃ、ありがっと、ついてるじゃ』と唱えた。

「わだばオドの家さ生まれて本当にいがったじゃ。こったらに綺麗なもの見せてもらったし」

夜光虫のような無数の小さな生き物もまた、生と死を繰り返しています。人間と同じようにＤＮＡを持ち、二重螺旋構造を持っていて、そのＤＮＡのなかに情報が書き込まれ続けていくのです。

生きるということは神秘です。人間も、小さな生き物たちも、この美しい偉大な地球に一生懸命に生きています。地球は、無限の宇宙からすると小さな惑星かもしれません。しかし、その小さな惑星に住む小さな生き物たちにもそれぞれに役割があります。夜光虫は、海辺の小動物や魚や蟹に食べられ、糧となります。夜光虫を小魚が食べ、小魚をさらに大きな魚が食べるという、食物連鎖の世界がこの陸奥湾でも繰り返されてきたのです。

娘のリーはふと思った。

『私たちは過去にこだわってもしかたがない。過去にばっかりしがみついてもなんの進展もしない。しかし、過去を振り返り、非があれば過去を反省して新しい道を進むことは可能だ。多くの失敗を繰り返したらその失敗の数だけ賢くなれる。失敗なんか恐れることはないのだ』

三内丸山に暮らす縄文人たちは試行錯誤を繰り返し、千五百年も一つのところに定住していた。千五百年のあいだに起こった出来事は、いいことばかりではなかっただろう。リーのこれまでの人生でも、いい出来事ばかりではなかった。多くの失敗があった。しかし、その失敗があったからこそ賢く生きてこれたし、これからも生きていけるのだ。

海岸の散歩を終え、家族はゆっくりと集落に戻っていった。

縄文へ還ろう

三内丸山の縄文遺跡は、日本では最古の縄文遺跡です。紀元前三五〇〇年から千五百年ものあいだ、青森市の津軽平野に、争いのない平和な暮らしが続いていました。

膨張し続ける宇宙から見れば、千五百年などはミクロのミクロにもならない、ほんの一瞬のことかもしれませんが、しかし現在の私たちからすると、気の遠くなるような長い期間です。

縄文時代から現在までのあいだに、地球はひどく汚れてしまいました。森林伐採や、化石燃料の燃焼で出る二酸化炭素による大気汚染、海も汚染されているし、農薬によって大地もまた汚染されています。他にも、核の問題や、戦争も絶えず、多くの人が傷つき、傷つけられています。

いつの間にか、日本人からも世界の人からも博愛の精神が失われてしまったのでしょうか。

いまだに世界は争いばかりです。広島、長崎で一瞬にして多くの命を奪った核兵器は、なぜ使われてしまったのでしょう。たくさんの人が殺されて、愛なんてどこにあるのかもわかりません。博愛の精神はいったいどこへ行ってしまったのでしょう。

福島原発の事故による放射能汚染は、決して自然災害ではありませんでした。安全策を怠った人間のミスです。周囲の人たちの安全をかえりみないなんて、どうしてそんなことができるのでしょう。

空を見、宇宙に目を向けましょう。宇宙は無限です。縄文時代も現在も、宇宙から降り注ぐ光は何も変わっていません。三内丸山に暮らした縄文人たちは、博愛の精神に満ちていました。そして、それは現在の私たちもまた、縄文人たちと変わりなく持

っている精神のはずです。
私たちもまた、縄文人のように助け合いの精神でお互いを敬い、愛を持って生きていけるはずです。

事業に失敗したから、貧乏だから、親の介護に疲れたから、病気が苦しいから、生活が苦しいからと、自殺を選ぶ人たちも増えています。しかし、人間には、それぞれ果たすべき役目があります。どんな環境に生まれたとしても、生きていることには意味があるのです。決して自ら命を絶ってはいけません。生きているということは、たしかに喜びだけではありません。悲しみも苦しみもあるでしょう。しかし、そこには楽しみも喜びもあるはずなのです。

迷ったら自然を見てください。自然界には楽しみがたくさんあります。目で感じ、触って感じ、声を出して歓喜し、自然界の音を耳で楽しみ、口で食べ物の美味しさを感じてください。自然の前では皆平等です。

傷つけ合い、苦しめ合うようなことはもうやめにしましょう。

三内丸山遺跡に来て、どうか考えて欲しいのです。平和に暮らしていた縄文人たちの足跡を、その目で見て確かめてほしいと思っています。

縄文の平和な時代には戻れなくても、せめて失われた心だけでも縄文に還りましょう。そうすれば、心に余裕と愛が戻ってきます。

まほろばの地には、あなたを迎えてくれる自然があります。殺伐とした現代の心から、平和で助け合い精神に満ち溢れた、愛に満ちた縄文の心へと還りましょう。変わってしまった環境は元に戻せなくとも、私たちの心だけはいつでも縄文へと還れるのですから。

第二章

縄文の調べ——音楽のはじまり

安在人美

縄文は懐かしい私たちの故郷です。紀元前の遠い昔、大自然の縄文時代。そこにはどんな音があったでしょうか。目をつむって想像してみてください。

地面にはアスファルトはなく、コンクリートの建物もなく、豊かな香りいっぱいの土や草に溢れ、そこを歩くとミシミシと大地を踏みしめる音がします。美しい色彩の草花が育ち、周りを見れば緑の木々が生い茂っています。

そこに風が吹くと、そよそよと葉のこすれる音がします。花には虫が遊びにきて、何やら楽しそうに会話しています。木には鳥がとまり、美しい声で鳴いたり、翼が風を切る音も聞こえてきたでしょう。

山の方へ歩いてみると、何やらチョロチョロとした音が聞こえます。湧水です。この音は心を落ち着かせてくれます。今度は、自分とは違う足音も聞こえてきました。それは動物たちの足音です。彼らもここで、一緒に暮らしているようです。

川のほうへ行ってみましょう。サラサラと水の流れる音、チャプ、チャプ、と、魚や水の生き物たちが生活する音も聞こえてきます。川沿いを歩くと、砂利がしゃりしゃり、石がぶつかってコトコト、カンカン。いろんな音が混ざり合ってとても美しいことでしょう。

さあ、海へ出ましょう。海は穏やかな日もあれば、湿気と大気が混ざり合って荒れている日もあります。ザー……ザー……と、穏やかに波打っていたり、ざぶーん、ざぶーんと、私たちの耳を強く打ってくることもあるでしょう。

森を歩いていると、木々が風に揺れてザワザワ……という迫力のある音が、だんだんとこちらに向かってきます。遠くからは獣の声、鳥の声、近くでは虫たちが飛び交う羽音が聞こえてきます。森に大雨が降ることもあるでしょう。そんなときは、森の木々の葉にポツポツ、ポタポタポタポタ、ザザザーと、降り注ぐ雨音が聞こえてきます。

縄文は、きっとこんな音に溢れていたのではないでしょうか。

大宇宙がつくり出した美しい惑星、地球が鳴らす自然の音です。縄文人はそのなかで暮らしていたのです。こうした大自然の音に囲まれて心豊かに暮らす縄文人だからこそ、争いのない世界、自然と共存共栄する世界が続いていたのでしょう。

大宇宙から生まれた、自然が豊かに存在する縄文時代。

縄文人はその自然の恵みをいただき、竪穴建物跡にみられるような家をつくり、出土した大人の墓や子どもの墓にみられるように、死を悼む心を持っていました。

彼らは、お骨を入れるための土器を作っていたのです。縄文人にとって、同じ里に生きる者たちは皆、家族のような存在でした。ゆえに、その死はとても悲しく、寂しく、死を受け入れられず、まだ死者がそこにいるかのように思う人もいたでしょう。そんな思いと、故人への祈りを込めてひたすらに土器を叩いたその音は、きっと天に届いたことでしょう。

遺跡からは、縄文土器や石器の他にも、漆器などの木器も見つかっています。土や石の装身具も見つかっているところから、人々の装いは鮮やかで複雑性があったとみられます。土偶には、やや斜め上を向いているものが多々みられるため、天を仰ぐような、何か信仰心のようなものがあったのではないか、という説もあります。

また、発掘された縄文人の遺体からは、刃物で切られた跡や、槍で突かれた跡は残っていませんでした。それは、争いのない時代が続いていた、ということを確かに物語っています。

縄文時代は、『古事記』が著されるよりもはるか前の時代であり、いまだわかっていないことのほうが多い時代です。ですが、こうした遺跡から、当時の様子を推測することはできます。諸説生まれていますが、私は、縄文人は豊かな自然と共存共栄し、争うことなく「和」の心で命を継いでいたのではないか、と推測しています。

そんな「和」の心をもった縄文人は、どんな音を奏でていたのでしょうか。

身近なところ、日常のなかで考えられる「縄文の音」としては、たとえば土器があると思います。土器は一つひとつが天然の土からつくられており、形も一つひとつ違います。そんな土器を調理中に使うと、土器のなかで何かをかき混ぜる音や、何かを擂り潰す音、流し込む音、煮える音など、さまざまな音で溢れることでしょう。よく響く大きな音ではないかもしれませんが、その合奏はおそらく耳に心地よく、縄文人たちの心と心をつないでくれたことでしょう。

「縄文の音」には、心をつなぐ、そんな役

割もあったと思うのです。

縄文時代にはすでに稲も生えていて、米を食べていました。火をおこして米を炊く間、現代の炊飯器のようなスイッチはないので、米がどのくらい炊けているか様子を見る必要があったと思います。他のおかずをつくりながら米の様子を見て、また他のおかずをつくって……それを何人かのグループになってこなしていたことと思います。グループでの行動は、狩りや収穫でもおこなわれていましたから、心を一つにするために、歌を歌ったり、お手製の道具や木々を鳴らして合奏していたのではないでしょうか。

心を一つにしてみんなで何かを成し遂げる喜び、みんなで何かをつくりあげる喜び、そしてその喜びを分かちあうこと、そういうことを大切にしていたのではないかと思います。よく観察し、よく研究する縄文人なら、発酵食品を思いつくこともお手のものでしょう。山ブドウ酒などのお酒を楽しむ習慣もあったようです。

三内丸山遺跡では、ヒョウタンが栽培されていたこともわかっています。ヒョウタンは中身を食べた後、乾燥させて、山ブドウ酒や水などを入れて使っていたのではないでしょうか。山ブドウ酒を飲んで陽気になって、ヒョウタンを叩いて鳴らし、その

リズムに合わせて踊ったり唄ったりする、そんな様子が目に浮かびます。
縄文人たちがいろんな音を奏でる姿を想像すると、それはとても温かく幸せに満ちた光景に思えるのです。

さらに、土器以外にも楽器の遺跡はないかと調べてみると、音を鳴らすことを意識してつくられた土偶や、石笛、土笛、土鈴といった楽器が見つかりました。たとえば、石笛は天然の自然石で、孔(あな)がすべて自然のしずくによってつくられていました。よって、孔があったりなかったり、とても小さな孔や大きな孔があったり、貫通してしまっている孔もありました。現代の笛とは大きく異なる形状です。おそらく、不揃いで多くの種類の周波数をもつ音だったに違いありません。周波数をあらかじめ決めて、規則正しく配列した現代の楽器とは正反対の音だったでしょう。現代の私たちが聞いたことのないような音だったのではないでしょうか。

しかし、その音は、とても繊細で複雑な、神聖な音だったのではないかと思うのです。心や身体に変化を呼び起こすような、そんな不思議な音だったのではないでしょうか。

この推測を裏づけてくれるような実証はないかと、探してみました。すると、ある研究論文を発見しました。その研究結果は、次のような内容でした。

古代の「音」は祭の主要な要素であった。音は「たまふり」という魂の賦活、鎮魂をはかるおこないを担っており、生と死、自然と人間、現実と非（超）現実、カオスとコスモスなどの、矛盾や対立する二つのものを「結び」つける役割を持っていた。「音」とリズムが「たまふり」と「結び」を可能にした。

つまり、「縄文の音」は心や身体に変化を呼び起こすような神聖な音であり、人の魂を賦活・鎮魂する儀式で使われるほど、魂に語りかけてくるような音だったのではないか、ということです。

――縄文という古代において、「音」は魂を呼び覚ますものだったのではないか。

私はこの仮説にたどり着きました。「縄文の音」は、いわば「宇宙の音」であり、魂を呼び覚ますものだったという考えです。

ここでいう「宇宙の音」は、宇宙で検出される波動を音声データに変換したものではなく、古代から唱えられている心身二元論や輪廻転生といった、魂や精神の世界につながるものと考えてください。

私たちはこの世に生まれ、肉体を持っています。そして私たちは、目に見えない心、魂を持っていることを知っています。能動的に考えたことのない人でも、人生のどこかで認識したことがあるはずです。

頭で考えたことではない「心の声」にしたがったり、なぜだかわからないけれど使命感をおぼえるといった経験はないでしょうか。それが、いわゆる魂だと私は思います。

魂は、いったいどこからやってきたのでしょうか。

私たちの魂は、あの世（宇宙）へ還り、この世に生まれ変わることを繰り返すと、輪廻転生ではそのように考えられています。「魂が宿る」という言葉があるように、肉体に自分の魂が宿っている、ととらえることもできそうです。

宇宙は、私たちの想像をはるかに超える大きなものであり、理解に努めようとしても理解しきれない部分が多く、謎に満ちています。ただ、宇宙、惑星、ひいては私たちや自然のものたちが、何かしらのエネルギーでできていることは確かだと思います。つまり、魂もエネルギーであり、その魂は宇宙エネルギーのなかに存在しているし、私たちの肉体のなかにも存在しているという考えです。

すると、次のように考えることもできるのではないでしょうか。魂が肉体に宿るとき、その魂は宇宙から来るのではないか、と。

「縄文の音」は、人の魂を賦活、鎮魂する儀式で使われていたと述べました。それはつまり、「縄文の音」が魂を活性化させ、宇宙エネルギーと同調し、その魂を自己に鎮める働きをしていた、ということです。

音には周波数がありますから、「縄文の音（周波数）」に宇宙エネルギーや魂が同調

しているという状態だったということです。「縄文の音（周波数）」が、「宇宙の音（周波数）」と同調していた、つまり「縄文の音」こそが「宇宙の音」だったのではないでしょうか。

豊かな自然と共存共栄し、争うことなく「和」の心を持っていた縄文人の奏でる音は、ときに楽しさや喜びを分かちあうものであり、ときに陽気で踊りたくなるような音でした。そして、ときに現代の私たちが聞いたことのない、とても繊細で複雑な音で、魂に語りかけてくるような神聖な音でした。

前述したように、縄文時代はいまだわかっていないことが多いため、遺跡に残されたほんの少しの記録を頼りに、想像し、推測していく他ありません。「縄文の音」が「宇宙の音」だった、というのも一つの仮説です。ただ、これだけは確かな事実だったのでは、と思うことがあります。

それは、縄文人の心には「和」があったということです。遺跡から発掘された遺体からは、刃物で切られた跡や、槍で突かれた跡は残っていませんでした。縄文人は、他と争うことなく、他と融合することによって、（まさに「和」でもって）文明を発展させていたのです。

縄文人の心に「和」があったからこそ、自然との共存共栄が成り立っていたことは、確かな事実だったのではないでしょうか。

そして、縄文の時代から一万年以上たった現代に生きる私たちの魂にも、「和」の心はきっと刻まれているはずです。争いが絶えず忙（せわ）しない現代だからこそ、私たちはほんの少し「縄文の音」を思い出し、争いを止め、自然と共存共栄してきた気持ちを思い出してみようではありませんか。

さあ、みんなで縄文へ還ろう！

第三章

三内丸山遺跡——漁業のはじまり

金沢　毅／大岡静二

人類初の漁業活動／金沢　毅

三内丸山遺跡では、中央の谷と北側斜面から廃棄ブロックが見つかりました。そこからは土器や石器以外に、堀棒、木翟（もくかい）、建築材などの木製品、動植物の遺体、骨角器、樹皮性の袋、敷物、組紐などが大量に出土しました。

動物遺体のなかには、おびただしい数の魚介類の骨が見つかりました。マグロ、マダイ、ブリ、マダラ、メカジキ、スズキ、シイラ、サワラ、ネズミザメ、ツノザメ、ホシザメ、ヒラメ、カツオ、クロダイ、アカエイ、ガンギエイ、クロソイ、イシダイ、ボラ、アナゴ、ソウダカツオ、サバ、ニシン、アイナメ、イシガレイ、ウシノシタ、キツネメバル、エゾメバル、タケノコメバル、コノシロ、ニベ、マアジ、カマス、サヨリ、オニオコゼ、フグ、カワハギ、ウミタナゴ、マイワシ、カタクチイワシ、ベラ、ウグイ、ドジョウなどです。魚以外ではイカ、タコ、カニ、シャコエビ、ウニも見つかりました。

貝類はアワビ、イガイ、シオフキ、マガキ、アカザラガイ、ヨメガカサ、アカニシ、イシタダミ、シジミ、カワシュンジュガイなどの多種にわたります。これだけ魚介類の種類の多い遺跡は世界的に見ても見当たりません。

骨角器のなかには縫い針、ヘアピン、牙玉、菅玉、刺突具、銛とともに、たくさんの釣り針も出土しました。

また、海に近い場所から、直径一メートルのクリの巨大木柱六本が、規則正しく並んで発見されました。これを、何か宗教的なことに使われていたと思われる方もおられると思いますが、波静かな陸奥湾で、昼夜問わず頻繁に漁がおこなわれていたと考えられることから、私は、この巨大木柱は現代でいう灯台のようなものだったのではないかと考えています。


ほかにも、一メートル以上のマダイの骨やマグロの骨が多数出土しており、大型魚を獲る漁法が確立していたと思われます。沖合に出る船を何艘も持ち、釣漁、網漁で獲っていたのでしょう。指揮者（船頭）を中心に、おそらくは多人数（五人〜二十人くらいか）の集団で漁をしていたと思われます。

ブリサバの骨が多数出土していて、その頭の骨が見つかっていないことから、こうした魚は船上で頭を落として処理していたのでしょう。

こうして大量にとれた魚は、塩漬け、天日干しなどの加工処理をし、他地域との交易品に使われたと考えられています。

青森県では、今でも塩漬け、飯鮨（いずし）、乾物、塩辛、漬物など、魚の加工品が各種伝えられています。その起源が三内丸山縄文時代にさかのぼる可能性もあります。

縄文時代には、土器をつくるために長時間火を焚くことが一般的でした。青森県ではイワシだしが多いのですが、この火を使って、イワシを並べて焼き干しなどをつくったことも考えられます。

縄文時代は、シカやイノシシを主な食糧源とした狩猟採集社会だったはずなのに、三内丸山遺跡ではそれらの骨の出土が少なかったことを考えると、山の狩猟より海での漁が主流だったのでしょう。

シカ、イノシシの骨の出土が少ないのに、たくさんの石ヤリが出土しています。とすれば、黒曜石の石槍はシカ、イノシシ、クマといった大型動物ではなく、主に海の大型動物であるイルカ、アシカ、トド、またはクジラ、マグロ、カジキに使われたと考えるべきなのでしょう。

現在でも青森県は三方を海に囲まれ、対馬暖流と千島海流が流れ込み、プランクトンの豊富なすばらしい漁場を有しています。本マグロ、ブリ、マダイ、ヒラメ、マダラ、ソイ、ホッケ、イワシ、サバ、マガレイなど、種類、水揚げ量とも日本でトップクラスです。

おそらく、五千五百年前も今と変わらず……いえ、大昔は海も今ほど汚れておらず、プランクトンも豊富で、魚種も多種にわたる、現在よりもっとすばらしい漁場だったはずです。

目の前に豊かな天然の生簀(いけす)のある風光明媚な場所に、現在発見されているだけでも竪穴式住居六百軒を超える突出した大集落を営み、五百人～数千人規模の人間が千五百年の永きにわたり集団生活していたのです。

千五百年もの永い期間、五百人～一千人の大人口を養うには、組織的な食糧供給体制が必要ですし、穀物、野菜、果物、肉類が不可欠です。このうち肉類（タンパク質）に関して三内丸山では、魚介類が大きな役割を果たしていたわけです。

おそらく、村長（リーダー）を中心に、漁師集団、加工集団、運送集団と、役割ごとに分業して、大量の魚介類を効率的に処理していたと考えられます。

船をつくる人、網、綱をつくる人、釣り針をつくる人、船頭、水夫、魚を仕分ける人、魚を解体する人、加工（塩漬、天日干し等）する人、加工品を貯蔵する人、加工品を運ぶ人（荷車、船など）と、分業していたのです。

これだけの大規模な「仕事」を、単に縄文時代の「漁労」と呼ぶのは、言葉が足りないのではないでしょうか。「漁業」という言葉がふさわしいと思います。

三内丸山は日本の、いや世界の漁業のはじまりの地だと言っても過言ではありません。

縄文人のマグロ漁／大岡静二

縄文に生きる人々には、自然と平和の祈りと深い思索があった。

五千五百年前の縄文時代中期。天空の星だけが見える漆黒の闇が明けると、まばゆい朝の光が三内丸山の縦穴住居に差し込んできた。長らくの悪天候続きで、村では家族や仲間が食べる食糧が底をつきかけていた。家長のアーが言った。

「あー腹減ったな。つよい雨もやっとやんで、今は風もないべ。さーさーこれからみんなで釣りに行くべー」

男たちは手早く、鹿の角でつくった釣り針や黒曜石の石槍や長いモリを準備して、海に向かって大声で歌をうたいながら歩きはじめた。

「あー、かーはー、なー、まー、いー、キー、ひー、にー、うー、くー」

まるで梵字のように意味のない声を出して、歌らしきものを歌いながら海岸に出た。そうした歌や声には、今日の大漁への期待と天への感謝の念が込められているのだろう。


当時の三内丸山遺跡の海岸線は現在よりもずっと近く、歩いて五分もすれば砂浜に出られた。漁場となる陸奥湾は、東は下北半島、西は津軽半島に囲まれ、北は津軽海峡に続き、マグロで有名な本州最北端の大間に繋がっている。津軽海峡は水深二百メートルほどの浅い部分の暖流と、深い部分の親潮の寒流が二層になった珍しい海域だ。幅十一キロメートルと大きく口を開けた陸奥湾にその暖流が流れ込み、湾内を大きく旋回しながら北へと抜けていく。陸奥湾は大きな湾だというのに最大水深が七十五メートルと、東京湾の水深とほぼ同じである。外界からのうねりの影響が少なく、また暖流、寒流が入り混じるため、漁業資源の豊富な海域なのだ。縄文時代は今よりはるかに魚も多く、ふだんは波も穏やかで、いわば天然の生簀のような海だ。海が荒れなければいろんな魚が豊富にとれる。現代は大量に獲りすぎるのと、海洋汚染が進んだことで、魚資源は激減してしまった。

三内丸山の暮らしが千五百年も続いたのは、目の前の天然の生簀にいろんな種類の魚が生息していたからだ。魚から良質のタンパク質と、ＥＰＡやらの油脂類が摂取できていた。

晴天のその日の朝の海は、キラキラと穏やかに波打っていた。アー一行は波打ち際に着くと、波にさらわれないように隠しておいた丸太の船三艘を運び出し、分乗して沖に出た。

岸から五百メートルほどの漁場は、イカ、ブリ、サバ、ニシンの餌となるプランクトンが豊富だ。五千五百年前の貝塚から出土する魚の骨で一番多いのは、小型のブリのイナダだ。それらを捕らえるのに網を使った漁法もあった。男たちはキラキラ光る海を背景に、潜り、網を投げた。だが収穫は容易ではない。魚もすばしこいのだ。

そのとき、水面が黒く輝いた。アーが叫んだ。

「みんな見ろ、大きな魚だ」

津軽海峡から湾内に大好物のスルメイカを追って入り込んできた、その大きな魚体は黒々と光っている。黒いダイヤと言われるクロマグロだ。

男たちは、船の近くに寄ってきた魚体に必死になってモリをうちこんだ。

男たちは巧みに船を操り、ときには海に落ちそうになりながら、黒い巨体と格闘した。

何本かのモリを打ち込むと、海面は血で真っ赤になった。しばらくするとクロマグロは大人しくなった。男たちは歓喜に沸いた。

船には到底引き上げられない黒い巨体にエラから縄を通し、何艘かにくくりつけ、慎重にオールを漕いで引っ張っていった。

海岸に着くと、女たち、子供たちが待ち受けていた。今度は歌をうたいながら集落の集会所までマグロを力強く引っ張っていく。

「すー、ゆー、んー、ちー、しー、いー、たー、らー」

喜びの声を上げながら、女も子供も村中そろって迎える。村全体で巨大魚を喜び、皆で料理を開始した。皆平等なのだ。大きな獲物は皆で分けるという、協同意識がしっかりしていた。

集会所の真ん中に木の枝を何本も並べ、その上にマグロを寝かせる。まずは黒曜石のナイフでていねいに巨大魚の鱗を剥がしてから、皮付きのまま身を切り分けて切り身にする。小分けした身はそれぞれの寝ぐらに持ち帰った。それぞれの家で、思い思いの調理で食べるのだ。入れる野草はそれぞれの家でちがう。それぞれの家の味があるのだ。

やがて、皆は家から火炎土器を持ち寄り集会所に集まった。家に残っていたシカや、イノシシの肉、アサリや木の実や野草が持ち寄られ、並べられた。

集会所に残されていた魚の塊を小さく均等に切り分けて、火入れされた火炎土器に落とす。頭、骨、皮の部分は、焚き火の周りで木の串に通して炙って焼いたり、アサリやシジミと一緒に鍋にしたりする。

そうして、皆で大宴会のはじまりだ。

あちこちから、めーの声がする。

津軽弁では、美味しい、というとき、「めー」だけで表現できる。

食事に使われるさまざまな土器や漆器も、装飾品の土偶も色とりどりに並べられた。

土偶はその希少性からして、生活必需品ではなく、精神文化に関わる道具だったかもしれないと言われている。赤い色は魔除けとして、あるいは自然への恐れや感謝を表現するために何らかの儀式に用いられた可能性も否定できない。

土偶や土器、高い技術と手間が必要な漆器が生まれた背景には、縄文人たちの高度な思索と、自然と平和への祈り、高い技術力や変化への対応力があったのだろう。

全国に六百箇所ある縄文中期遺跡のなかで、土偶が十点以上出土したのはたったの十箇所しかない。三内丸山地区には、二千点以上の大小様々な土偶が出土している。これは国内最多で、規模もずば抜けて大きい。


家長のアーは、豊漁と無事を祝って自然と両手を合わせ、上下に三度動かした。天を見つめ、宇宙と神への感謝、自然の恵みへの感謝、仲間の無事と豊漁だったことへの感謝。

縄文人たちは、土器や石器の他に、糸、縄もつくりだし、麻や毛皮の服や靴を身につけて歩き回っていた。また、クリやドングリ、トチの実やクルミなどといったものをアク抜きする術も持っていた。それらを粉にし、発酵した山ブドウを加えて全体を発酵させせて膨らませて、クッキーやパンのようなものもつくって食べていただろう。


そうした自給自足の生活をしながら自然と共存共栄し、環境にもうまく適応し、村全体が和して団結していたのだ。平和な暮らしが一万年以上も続いた縄文時代は、弥生時代八百年と比べてはるかに長く続いた。

しかし、食糧が足りても、他人のものを欲して盗めば争いが生まれる。その争いが大きくなれば戦争になる。チンパンジーなどの群れは、弱い個体の食料を横取りしたりすることがあり、争いで敗れた場合は群れから追いやられる。

では、縄文時代の平和はなぜ一万年以上も続いたのか。それは、日本人の原点ともいえる博愛の精神、八百万の神と、命に感謝する心が存在していたからではないか。生きることは命をいただくことであると考え、生き物に対する感謝の心がなかったら、こうした縄文の暮らしは長く続かなかっただろう。自然界からいただく命への感謝が、親から子へ受け継がれてきたからこそ、平和が保たれてきたのに違いない。

第四章

三内丸山遺跡——世界五大文明への道

佐藤　力

「文明」とは

　文字を持ち、交通網が発達し、都市化が進み、国家的政治体制のもとで経済状態、技術水準などが高度化した文化をさす。（スーパー大辞林より）

1 人類の歴史

(1) 世界四大文明

黄河文明（前四八〇〇年～前一五〇〇年）――黄河流域に発達
　彩陶を使っていたヤンシャオ（仰韶）文化（前四八〇〇年～前二三〇〇年）と、黒陶を使っていたロンシャン（竜山）文化（前二二〇〇年～一五〇〇年）に大別
　アワ、キビの栽培
　甲骨文字の発明
　青銅器の使用
　都市国家の形成
エジプト文明（前三〇〇〇年～前三三二年）――ナイル川流域に発達
　ピラミッド建造
メソポタミア文明（前四〇〇〇年～前一六〇〇年）――チグリス川とユーフラテス川の間の洪積平野に発達
　都市国家の形成：神殿組織
　楔形文字の発明、円筒印章
インダス文明（前二五〇〇年～前一八〇〇年）――インダス川流域に発達

小麦、大麦（冬作物）の栽培
降水量が少なく乾燥した気候、気温は夏三十五度、冬〇度→文明維持困難
石器と青銅器の使用、鉄器の出現による森林の開発
象形文字の発明、印章の使用

(2) 日本

縄文時代（新石器時代）――一五〇〇〇年前～二四〇〇年前
草創期（一五〇〇〇年前～一一〇〇〇年前）：遊動生活から半定住へ
早期（一一〇〇〇年前～七〇〇〇年前）：人口二万百人、早期後葉から定住の確立
前期：人口十万五千五百人
　黄河文明、メソポタミア文明、三内丸山遺跡
中期（五〇〇〇年前～四〇〇〇年前）：人口二十六万千三百人、中期後半から東日本の地域性の顕在化、大規模集落に出現、遺跡数のピーク
　エジプト文明、インダス文明
後期（四〇〇〇年前～三〇〇〇年前）：人口十六万三百人、遺跡の小規模化と分散
晩期（三〇〇〇年前～二四〇〇年前）：人口七万五千八百人

2 三内丸山縄文人の歴史

(1) 年数

縄文時代前期中葉（五九〇〇年前）から中期（四三〇〇年前）までの一六〇〇年間

(2) 変化

前期中葉―ムラの出現、竪穴住居、大型竪穴住居、住居は長方形
中期中葉―大集落中型、掘立柱建物の出現
中期末葉―小規模な集落に移行、住居は小型、丸型化

3 三内丸山縄文人の生活

(1) 衣食住

◎衣
編布の出土から、植物繊維を利用した衣服の可能性。冬季は毛皮。
※縄文ポシェットはヒノキの樹木樹皮を利用していたことがわかったことから、編布の衣服も同じ材料の可能性がある。なお、ヒノキ科の樹皮では海岸等に生育するイブキから薄く樹皮が取れることから、イブキが利用された可能性が考えられる。イ

ブキは現在では東北南部以南に分布している。
※遺跡から、大型の哺乳類よりも野ウサギやムササビなどの小型の哺乳類の遺物が多く出土するのは、食糧だけでなく、毛皮に利用したためかもしれない。

◎食
哺乳動物：野ウサギ、ムササビなどの小動物が多く、シカやイノシシなどの出土は非常に少ない。
鳥類：カモ、ワシ、ガン、ウなど。特にカモが多い。
魚類：五十種類以上を利用していたと考えられている。主にイワシ、アジ、サバ、アイナメなどの小型の回遊魚や、シャコ、タコ、イカなど。他にマグロ、タイ、ヒラメ、カレイなども出土しているが、数は少ない。
※ブリ、サバの二種類も多く出土、しかし頭の骨が見つからない。ということは、船の上で頭を落として持ち帰ったか、別の場所で加工されたと考えられる。サケは少ないが出土している。文献により魚の種類等に関して相違があり、さらなる検証が必要である。
堅果類：クリ（クリの林の管理）、クルミ、ドングリ、トチの実。

※クリは主食にはならないが、あらゆる料理に利用されていたと考えられる。
きのこ類：キノコ形土製品の出土から推測。
※「目的がきのこの見分け方のためだったら、毒キノコを見極めるために赤い色がついた土製品が出ていないのはおかしい」と言う考古学者（是川遺跡関係者）の意見もあるが、これはキノコを知らない人の意見であろう。
イネ科植物：イヌビエの栽培（プラントオパールの大量出土）
※ヒエは中国原産とされている。イヌビエは雑草としてどこにでも存在しており、本当に栽培されていたのかはわからない。現在の文献では記載が見られない。
※二〇〇三年に縄文ムギが出土しているが、その後の見解が見当たらない。
嗜好品：ニワトコの果実酒。
※ニワトコの種子が大量に見つかっている。
※ニワトコには有毒成分が含まれているとされるが、はたして果実酒として利用可能だったのかは疑問である。

◎住
竪穴住居：ムラ人の居住用。

大型竪穴住居：集会用か。

掘立柱建物：貯蔵用倉庫とされている。

六本柱建物：航海用、魚漁の灯台の役割か。

建造材料としてのクリの管理：クリは食糧として管理されていたとされているが、竪穴住居の柱や骨組み、更には掘立柱建造物の柱にクリの材が多く使われていた。食糧のためだけの存在であれば、クリの木を伐採することは考えられないことから、クリの栽培は建材用としての目的もあったと考えられる。

(2) 文化

編物文化：縄文ポシェット、編布の出土から。

漆塗文化：漆器や漆塗櫛の出土から、複雑な工程の漆塗文化が確立されていたと考えられる。

言語文化：多数の人々が居住して生活していくためには「言葉」の存在は必須であることから、当然、言語も存在していたと考えられる。しかし、将来に情報を伝達するための「文字」の存在が確認されていない。木に書かれた縄文文字があったとして、それらは完全に消えてしまったのだろうか。なんらかの「文字」に代わる形があったのかもしれない。

(3) 出土品

石器：石鏃、石匙、石槍、石棒、石冠、石偶
土器：円筒土器、ミニチュア土器
骨格器：骨刀。釣針、ハンマー
木製品：丸木舟（三内丸山遺跡からはなしか）、握り棒、鉢、浅蜂、装身具
土偶：大型板状土偶など、国内最多の出土
土製品：三角形土製品、きのこ形土製品、耳飾り
装身品：ヒスイ製の大珠、ペンダント、ポシェット、腕輪、漆塗櫛
漆器：赤漆塗木製容器、赤漆塗土器、台付皿

4 集落

(1) 人口

数百人規模：住居跡からの推計、縄文時代中期が最盛期

(2) 組織

階層化された集落

5 三内丸山縄文人の自然環境

(1) 地形

沖積平野、前方に寒流、暖流が入り混じった陸奥湾、背後にブナ林を抱える八甲田山、大きな河川がないため、大規模な水害からは免れた。また、陸奥湾の特徴から大きな津波に襲われることもなく、地理的には長期間の定住に適していた。

(2) 気候

温帯気候で四季が明瞭で冬季は積雪があるが、夏は温暖で居住に適している。また降雨も適度にあり、作物の工作には最適だ。

(3) 植生

ブナ科などの落葉広葉樹、マツ科やヒノキ科などの針葉樹である。広葉樹の落葉は腐葉土となり、雨水により平地に流れ込み肥沃な土地をつくる。また雨水は海に流れ込み、多くのプランクトンを生み、海産物の生育に適した滋養に富んだ陸奥湾になった。

五千九百年前の十和田火山の噴火から三内丸山周辺の植生が変化したと考えられる。また、三内丸山ムラの衰退からクリ林が減少していったとの説もある。

	三内丸山遺跡	八甲田山
前期中葉	ブナ属、コナラ属	ブナ属、コナラ属
前期中葉~後期中葉	クリ属	ブナ属、コナラ属
後期	ブナ属、コナラ属、トチノキ属	ブナ属、コナラ属

6 交通

(1) 集落内の交通

道路跡の出土、幅は五~十四メートル。区画整理された道路網が存在した可能性。

(2) 他地域との交通

近隣の集落との交通は陸上交通だろうか。

(3) 海洋交通

海洋交通に丸木舟が使われたとされているが、三内丸山遺跡からは丸木舟の出土はあるのか。丸木舟が使われたとするなら湾内用であって、津軽海峡や日本海の航行には多人数の乗船と航行に必要な食糧などの運搬のために、もっと大型の船がつくられていた可能性が高い。

7 人類の歴史のなかでの三内丸山の特色（四大文明との違い）

(1) 自然、地理的な違い

大河の流域でないため大規模洪水に見舞われることはなかった。

豊かな植生に囲まれ、植物由来の自然の恵みや小動物が豊富。

海には暖流、寒流が入り混じった海流が流れ込む陸奥湾を擁し、豊富な漁獲に恵まれている。

(2) 気象的な違い

高緯度に位置する温帯で、適度な降雨と冬季には積雪がある。

落葉広葉樹や針葉樹などの森林が身近で、大量の樹木の利用が可能。

(3) 文化的な違い

文字の発見がないことから、文字ではなくなんらかの形をつかって表現した可能性がある。例としては、多数の土偶や模様、きのこ型土製品の存在がある。土器の網目模様は九十種類ほどあり、その用途として滑り止めや熱効率アップなど諸説あるが、その実態は不明である。

一つひとつの規模が小さい。広大な場所がないため、各地に点在した可能性がある。特に三内丸山遺跡付近の沿岸部からは多数の遺跡が見つかっている。

8 三内の最大の特色

(1) 木に関すること

・遺跡の周囲には豊かな森林がある→木を利用した文化
・丸木舟、掘立柱建物→伐採した木材を冬期間の雪を利用して運搬
・漆塗容器→彩色だけでなく、木製品の長期保存（利用）を可能にした

(2) 集落の特色

・広さ：広い

・機能：盛り土、墓、六本柱
・生活：漁獲、採集、狩り
・集会所：大型掘立柱建物
・造形物：六本柱（灯台）
・交流物：黒曜石（北海道遠軽町白滝、長野県霧ヶ峰など各地）、アスファルト（秋田県）、ヒスイ（新潟県糸魚川）、コハク（岩手県久慈）

(3) 交通

・陸上交通：地形的に起伏が多く、家畜の飼育されていた形跡もないことから徒歩によるものと考えられる。↓道路跡の出現
・海上交通：遠方との往来には船が利用され、交易が活発におこなわれた。
・河川交通：三内丸山周辺には大きな河川はなく、川は狭幅で急流が多いため、船の利用はほとんどなかったと思われる。

(4) 人と人との交流

交易により他地域から持ち込まれたと思われる遺物が多数出土されていることから、

他の集落との交流は活発であると考えられている。

9 三内丸山の人々のロマン

「北のまほろば」――三内丸山は縄文文化の中心地であり、ムラ（都市国家）を形成し、他の縄文集落との交流がおこなわれてきたと思われる。三内丸山の位置するところは、世界でも自然災害の影響が極めて少なく、自然に恵まれた地形と温暖な気象は縄文人の定住化に適した場所であったと思われる。

ムラでは多数の竪穴住居や集会所とみられる大型竪穴住居も存在し、その近くには掘立建物が建てられて、巨大な六本柱の建物もある。ムラのなかには、海に向かう幅十二〜十五メートルの広い道路がつくられ、魚の運搬や多人数の往来に利用されてきた。また、別の道路には土坑墓列が設けられ、環状配石墓が出土されるなど、埋葬文化も発達していた。

自然の恵みであるクリやクルミなどの堅果をはじめ、ヤマブドウやクワ、サルナシ、クコなどの果実、キノコなどが採取されていた。穀物の栽培はおこなわれていなかったが、ヒョウタン、ゴボウ、マメ類は栽培されていた。特にクリ林は管理され、大量に採取されていた。ニワトコの種子が大量に見つかっていることから、ニワトコの果実酒をつくって楽しんでいたとする説もあるが、ニワトコには有毒成分が含まれており、また現在においてそのような利用例がないため、その説には疑問が残る。

　また、陸奥湾には暖流と寒流が運んできた豊富な魚が入り込み、それらが漁獲された。マダイやスズキ、サメなどの大型の魚は釣針を使って釣り上げ、イナダやニシン、アジ、イワシなどの小型の魚は網で大量に捕らえ、ヒラメ、カレイなどの砂地の魚やタコなどは銛（モリ）のようなもので突き刺して捕らえたものと考えられている。

　これらの豊富な食糧が、ムラ人の定住に繋がったと考えられる。

　回遊魚の漁期や祭事には、周囲の集落から多数の人が集まってきて、協同での漁労作業や儀式がおこなわれたのではないだろうか。集会所とされている大型竪穴住居跡は、それを裏付ける存在である。縄文後期の小型住居の増加は、核家族化が進んだためではなく、集まってきた人々の宿泊用住居として用いられたのではないだろうか。このように考えると、三内丸山を中心として都市化が進んでいたと言えるはずである。

　他地域産のヒスイや黒曜石、アスファルトなどの存在から、他の集落との交易が盛んにおこなわれていたと考えられており、経済が発達していたことがうかがえる。その交通網については、近い集落との交流には陸上交通が利用されたと思われるが、起伏の険しい地形と、豊かな森林の存在が逆に行く手を阻むため、遠方との交流は船による海上交通が利用されたであろう。その手段として、陸奥湾程度の航行手段であれば丸木舟が考えられるが、外洋を航行するためには、はたして丸木舟程度でことを成し得たであろうか。

津軽海峡の向こうの北海道や、遠く離れた新潟にたどり着くまでには相当の日数が必要だったろうし、津軽海峡や日本海の荒海を乗り越えなければならないことを考えると、それなりの人数と水、食糧を積み込める程度の大きさが必要である。森林が豊かで、木材の伐採や加工の技術に優れていたことから、大きな、一定レベル以上の船を利用していたものと考えられる。後の北前船の元となったかもしれない。ひょっとしたら帆もついていたのかもしれない。

また、硬度の高いヒスイを加工するには、そのための高度な技術、漆器をつくるための複雑な工程にはそのための技術が必要である。縄文の人々はそれらの技術を確かに持っていたと考えられる。

文明の条件としては、都市化が進み、交通網が発達し、国家的政治体制のもとで経済状態、技術水準などが高度化していることに加え、文字を持っていることが必要である。三内丸山遺跡はこれらの条件のほとんどを満たしている。しかし、残念ながら三内丸山遺跡を文明発祥の地と呼ぶためには、最後の「文字」の存在が確認されていない。「形」や「記号」であっても、なんらかの方法で意思の伝達が図られていたことが判明すれば、文明発祥の地としての可能性が出てくるものと考える。近年、人の姿が描かれた土器が出土されているが、そのような発見が増えることによって新たな見解が得られる可能性があるだろう。

第五章

文化講演会「三内丸山遺跡と報道について」

講師　友清裕明

平成六年十月七日　青森北高等学校第一体育館

はじめに

皆さん、こんにちは。

ご紹介いただきました、朝日新聞社の友清裕昭と申します。皆さんの前で、こうして話をさせていただいて、「時間が無駄だったなあ」と思われたら困るので、何を話したらよかろうかと考え、多少は役に立つことを考えました。

私が一番得意といたしますのは、原子力関係です。大学は「原子力工学科」を出て、原子力の研究者になろうと思っていたのですが、勉強しているうちに「原子力は、あまり面白くないなあ、もっと違うのはどうだろうか」と考えて、新聞記者になったのです。

はじめは原子力と関係のないテーマで新聞記者をやりたいと思っていたのですが、やはり大学でやったことはついてまわりまして、ついつい原子力が中心になって、これまで来たわけなんです。

ただ、きょうは、原子力の話でなく、今、非常に話題になっております「三内丸山遺跡」、これと報道が、どのように関わってきたか――ということをお話しさせていただくなかで、皆さんに今後多少でも参考になることがあればと思います。

「縄文」見直し

「三内丸山遺跡」というのは、縄文時代の遺跡です。皆さんの教科書には、現在はどう書いてあるかわかりませんが、大体の常識としては、「狩猟、漁労。山に入って木の実を採る。耕作はしない。一ヶ所に定住しない、遊牧みたいな生活」――少なくとも、私が高校生のころの教科書はそうでしたし、現在もかなりそれに近いだろうと思います。しかし、実は「三内丸山遺跡」が発掘される二十年近く前から――縄文時代は、これまで考えられていたような原始的なものではないのではないか――という、「縄文見直し」がはじまっておりました。

青森県でいえば、八戸の是川から日本で一番古い米が出てきたりして、縄文時代は長いのですが、晩期になると、すでに稲作もはじまっていたということです。また、富山県でも、高い建築物があったであろうと言われております。

このような、全国各地の縄文遺跡の発掘から、どうも、今まで考えられていたよりは、文化的に進んでいたのだろうという意見が強くなってきています。特に「掘立柱式」という、高い柱を立てた建物は、人が定住していないと意味がないわけですから、定住していたのであろうという見直しが進んで来つつあるところに、この「三内丸山遺跡」が発見された。これが持っている意味は、「縄文見直し」がこれで決定的になるという位置づけなのだろうと思います。

「三内丸山」と報道

それで、報道との関係ですが、実は発掘そのものは、今年で三年目です。今年の夏、七月十五日は、全国高等学校野球選手権青森大会の開会式です。県の高校野球連盟と朝日新聞社が主催しておりますので、県営球場の開会式に出席しておりました。

こちらの青森北高校の佐藤校長先生が、県の高校野球連盟の会長をしておられますから、佐藤先生と並んで、開会式に出ておりました。

私は、去年の四月に青森へ赴任したので、開会式は二回目です。はじめのときは緊張したのですが、二年目はそれほど緊張はしないで……実は自分の気持ちは隣り、つまり野球場のすぐ隣りの「三内丸山遺跡」にあったのです。

と言いますのは、その数日前に、「大きな柱が見つかった」という話を聞いていいまして、「これはスゴイぞ。地上からの撮影だけでなく、ぜひ、ヘリコプターを持って来て、空から撮影したい」と考えました。ちょうど、野球の開会式にはヘリコプターが飛んで来て、式典でボールを落としたり、カラースモークで賑やかにやりますので、「そのヘリを使って写真を撮ろう」と考えました。去年は、奥尻の地震とぶつかりまして、野球の開会式に来るはずが全部素通りして、北海道奥尻まで行ってしまったんですけれど、今年はそういうこともなく、ヘリが飛んで来ました。そして、野球の開会式の上空を少しだけ飛んで――実は、その隣りに行って、写真を撮っていたわけなのです。

ところが地元紙――東奥日報なんですけれど――朝日新聞社のヘリが野球場に来たのはいいけれど、隣りで、超低空飛行で何かやっている。実は、目印に新聞社の旗を広げて「ココダ、ココダ」とやるんですが、そんな派手なことをやっておりましたら、嗅ぎつけられてしまいました。

はじめは翌十六日の朝刊に出すつもりだったのですが、そのときは、まだ嗅ぎ付けられたことがわからず、紙面の都合で、一日遅らせようということになりました。新聞というのは、毎日毎日、一面トップがあります。たいしたニュースはなくとも、一面トップはなければなりません。一面トップ間違いなしという記事でも、似たような事件が二つあれば、どちらかは小さくなってしまいます。

皆さん、これは脱線ですが、新聞を読まれるときは、そういう目で読んでいただきたい。つまり、一面トップだからスゴイのかなあというと、内情を言いますと「今日は一面トップがないなあ。何かないかなあ」と探し回って、「ちょっと無理だけれど、まあしょうがないや。他にないから」という一面トップもあります。本来一面トップなのに、それよりもすごいニュースがあったために、左の方に小さくなるということもあります。

その日は、やはり同じようにビッグニュースがあった。「じゃあ、これ、一日延ばそうや」ということになりまして、十七日朝刊を予定していたのです。

ところが、先ほどの東奥日報が、前日の夕刊で書いてきたので慌てまして……青森では朝日新聞には夕刊がないのですけれど、東京では夕刊の最終版で、急いで掲載しました。そういう意味で、青森では半日遅れだったのですが、東京では東奥日報と同時にやっていたのです。

このように、新聞では、特ダネ競争を毎日毎日やって、勝った、負けたとやっているわけですが、それがある意味では、我々新聞関係者の生き甲斐になっているのです。

特ダネ

皆さんがテレビで、政治家などの記者会見を聞いて、つまらないなあと思うことがあるかもしれません。週刊誌などで、一時期、新聞批判の中で「政治報道で記者会見がつまらない」というのがありました。確かにつまらないんですね。何でつまらないかというと、大事な質問はとっておきたい。よその新聞記者に聞かせたくない。だから、他社がいるところでは、聞かれてもいいような質問しかしない。そういうこともあって、記者会見がつまらなくなるのですが……そこでは黙っていて、あとでコッソリと聞きたいことを聞く……ということを、実はしょっちゅうやっております。

それから、記者会見という場ではなく、我々は「夜討ち朝駆け」と言うのですが、これをよくやります。戦国時代の、夜奇襲をかける、朝早々と、寝ている頃に攻める、それが夜討ち朝駆けですが、つまり、大事な政治家（青森県では知事とか副知事）のところへ朝早く行って、起きるのを待っている。あるいは夜遅く行って、帰って来るのを待っていて、それから話を聞く。これが我々の取材で一番大事なんですが、そういう激しい競争をやっているわけなんです。

たとえば、私自身の経験では、ノーベル化学賞を、京都大学の福井謙一先生が貰われたときに、私はちょうど科学部におりまして、ストックホルムから外電が入るのを待ち構えているわけです。発表時間はだいたいわかっている。それで、外電が、まず名前を一行だけパッと送る。そのとき、PROFESSOR KEN' ICHI FUKUIとあったので、同じ京都大学で、化学で、やはりノーベル賞を貰ってもおかしくないような先生で、福井三郎という教授がおられました。この方も、世界的に有名な人。私はその人を個人的によく知っている。そこで「福井」と聞いて、すぐ電話機を取って、回しはじめたときに「サブローじゃない、ケンイチだ！」というので、名簿のすぐ隣にあった謙一の方に電話をしました。真先にかかったわけですね、自宅に。夜中ですけれど。それで起こしてもらって、

「先生、おめでとうございます。ノーベル賞です。どうでしょうか」

と言ったら、

「いや、別に驚きません。皆さんが応援してくれていたから」

と言われたのが最初の言葉だったのです。

それからが、実は新聞社の戦いがはじまるわけです。まず電話を入れること、その次があるのです。話を聞いただけじゃダメ。電話を絶対切らないこと。

つまり、話を聞いて、その部分は原稿にする。そのあと、記者が代わって、雑談を延々とやる。何でそうするかというと……よその新聞社からの電話が入らないように。我々はこのとき、一時間粘りました。

もう話をすることがなくなって……。今でこそ、福井先生は、りっぱな講演をなされるんですが、ノーベル賞を貰われたころは口下手（くちべた）でして、私みたいで、あまりしゃべれない。本当に話をされない方だったのです。それをまあ、一生懸命、話を長引かせる。ついには「奥さんに代わってください」と言って、奥さんとも雑談する。一時間粘っているうちに、とうとう福井先生も「もうそろそろ、終わりにしてください。一時よその新聞社が、表玄関をドンドン叩いています」……こういうことがあって、一時間で切ったのですが……。そうすると、新聞は――青森の地元紙は違いますけれど――全国紙の場合は、一日に三回か四回、同じ朝刊でも刷り直しているわけですね。で、その一つ早くはいる。こういうことをやっているんです。

チャンスを狙え

話がだいぶ三内丸山から脱線しましたが……それで、新聞報道によって、この三内丸山の状況は一変してしまいました。県の埋蔵文化財調査センターの人も「今までと何の変わりもないのだけれど、まわりが突然変わってしまった」と言っておられましたけれども……つまり、それまでは――新聞報道があるまでは――朝日新聞の記者は毎日という感じでしたが、地元紙の記者がたまに顔を見せるくらい。あとはもう、関係者だけで黙々とやっていた。

「同じことをやっていて、何でこんなに変わるんでしょうね」という話をしていましたが、実は、これに至る経過は、去年（平成五年）の五月、つまり一年少し前の話になります。

私は正直言って、それまでは、遺跡や縄文に対して、あまり興味がなかったのですが、付き合い上、「縄文の会」という、十人くらいでつくっているプライベートな会に入りました。

ここで、「縄文映画」をつくりたいという話になってきまして……。現在は「縄文映画制作委員会」という立派な会になって活躍しておりますけれど、そのスタートのときでした。飯塚さんという、記録映画の有名な監督ですが、ちょうど青森に来た日の会合で、現場を見て、興奮しきっておられるわけですね。

「これはすごい。こんなすばらしいもの、見たことがない」

それで私は、「そんなにスゴイものなのかなあ。それじゃ」ということで、担当記者を一人つけて、「ずっと、きちんと、フォローしなさいよ」と言っていたのが、今日、実ったのだろうと思っております。まあ、チャンスを狙うわけですね。

埋蔵文化財調査センターの人は、ある意味で、学問として やっておられる。我々ジャーナリズムというのは、学問とは違って、皆さんに訴える物が欲しい。学者が喜んでいるだけじゃ物足りないわけで、「なるほど、すごいな」と学者じゃない人にも思ってもらえるような、そんなチャンスを狙う。

それが、あの大きな、巨大木柱だったわけなんです。それまでも、酒をつくっていたらしいとか、いくつか記事は書いていたのですが、それほど注目されなかった。「柱」のときに、「やはりこれだ、これでゆけ」と。

それでも、私も担当記者も考古学は専門ではないので、どうしても不安が残って、本当に一面トップでいいのだろうか、と。私自身が埋蔵文化財調査センターの人に話を聞く――じれったくなって、記者を飛び越えて――それから「まあ、これなら何とか行けるだろう」ということで、GOを出したわけですが、やはり、それでも不安が残る。

このあと、作家の司馬遼太郎さん――この作家の作品を皆さんは読んでいますか

――時代物をたくさん書いている作家ですが、考古学とか歴史について、非常に造詣が深い。この方が青森に来られまして、三内丸山の遺跡を一緒に見に行ったんです。そうすると、大変感動しておられまして。私はその様子を見て、「ああよかったな。間違いなかったな」と一安心。

さらに、考古学では日本の第一人者であろうと皆さんが認めている同志社大学の森浩一教授も来られまして、その時も一緒に見に行ったのですが、もう、しきりに感心しておられた。それで、「ああ、一面トップにして間違いなかった」と思いました。

驚きの……

その後、朝日新聞では、「驚きの三内丸山遺跡」というカットをつけて記事にしましたが、何が驚きかというと、やはり先ほどの「柱」なんですね。

今日の新聞各紙に書いておりますが、高さが二十メートルぐらいのやぐらがあったのではないか。材料が「栗」だと言うので、「栗の木はそんなに大きくならない」とか「天然記念物の栗の木があるが、それも、そんなに高くなっていない」とか、いろいろな議論があるので、二十メートルあるかどうかはともかく、太さから言えば、佐賀県の吉野ヶ里のものよりも大きい。

つまり、こちらははじめ八十センチと言い、さらに別の物は九十五センチもあった。ところが、吉野ヶ里はもっとずっと新しいのですが――あそこは柱が出ていないから、柱の太さはわからないのですが、柱を立てるために掘った穴の直径が一・八メートル。こちらは掘った穴では、大きいのは二・五メートルあります。

だから、こちらが時代が古いにもかかわらず、遥かに大きな建物があったであろう――と推察される。

これは本当に驚きだと思います。

縄文時代というのは、世界史で言えば、新石器時代（今から一万二千年ぐらい前から三千年ぐらい前まで）になるんですけれど、三内丸山の場合は、だいたい千五百年続いた。つまり、五千年前から、三千五百年ぐらい前まで続いた。あそこにずーっと人が住んでいたと言うのですが、千五百年間というと、大変な長さですね。

今から千五百年前というと、日本ではまだ、「倭の五王」といっていた時代ですね。「卑弥呼」の時代がもう少し前ですから、それぐらい以前から今までの期間、ずっと、あそこに人が住んでいたということも、大変なことだろうと思います。

それともう一つ。土器のすごさですね。

皆さん、あそこを見学しましたか。土器がたくさんあって、下の土が見えないくらい全部土器――というところもありますね。発見現場ではブロックごとに掘っているわけですが、そのうちの一つを指さして、森先生が、「この一つのブロックにある縄文土器。これだけで、奈良県全体で今まで出た縄文土器よりも遥かに多い」と言っておられるわけです。

それだけ大量の土器が、そこから出てきている。近畿地方では、縄文土器のカケラが数個出てきたら、それは「立派な縄文遺跡」と言われるような状態なのだそうです。つまり、縄文時代というのは、東北地方が非常に文化が栄えていたらしい。縄文遺跡というのは、九州にちょっと多いところがありますが、近畿と関東には少なかったのです。

だから、三内丸山が発掘されたことによって、青森は、縄文時代で一番の中心だった可能性がある……と、このように言われているわけです。なかには、「野球場をつくるために、たまたま広い面積を掘ったから、そういうのが出てきたわけで、他にも掘ってみれば、あるのではないか」という話もなくはない。確かにあってしかるべきで、ある程度説得力もあるのです。近畿は昔から開発が進んでいて、遺跡はもう壊されてしまっているという話もあります。しかし、そうではなくて、江戸時代（まだそれほど、開発・発掘などしていないころ）から「三内丸山には縄文土器とか土偶が出てくる」ということを、菅江真澄（旅行記をたくさん書いている人）が青森に来たときに書いている。

つまり、江戸時代から「ここには縄文の大きな遺跡があるのだ」ということがわかっていたわけです。

皆さんのおじいさんやおばあさんに聞いてもらったら、わかるかもしれない。私も、県内のお年寄の何人かから聞かされましたけれども……あのあたりは、昔から、畑から土器がゴロゴロと出てきたんだそうですね。つまり、もともと、よく知られていた縄文遺跡だったわけです。ですから、他にはそんな場所はそれほどないわけで、やはりあそこは「特別な場所」なんだろうということが言えると思います。

これが問題になったとき――遺跡が評判になって、県がどうするかと、先日、知事の話を聞きましたら、

「さすがに、二、三日迷いました」

と言っておられました。けれども、非常にすばやく「野球場建設は中止」と。

こちらの佐藤校長先生は、大変複雑な顔をしておられました。高校野球のために、新球場の建設を非常に楽しみにしておられたので、建設中止というのは……まあ、佐

藤校長先生も遺跡には理解がありますので、「そっちもいいけれど、野球場も早く欲しい」というので、非常に複雑な表情をしておられたわけです。「中止」と決めて非常によかった――と言われているのですが、考えてみれば、「そもそも江戸時代から『ここは大変な遺跡だぞ』とわかっていたところに、野球場をつくる計画は、おかしいじゃないか」という批判もあるにはあったわけです。

しかし、菅江真澄を県の幹部も多分知らなかったのじゃなかろうか。私も実は全然知りませんでした。偉そうなことを言っていますが、今回のことではじめて「へェー、そうだったのか」と知ったわけですから、多分幹部も知らなかったのでしょう。やはりこういうことは、ちゃんと知っている人が、きちんと最初に説明するべきなのでしょうね。

そういうわけで、今、考古学が特に注目しているのは――やはり、三内丸山というのは縄文時代（日本全体を見渡しても）かなり中心的な役割を果たしたところじゃないだろうか――ということなのです。

地方に勇気を！

これについて、朝日新聞社はシンポジウムを開いたのです。このときにコーディネーターをやっていただいた先ほどの森浩一先生が、非常に面白いことを言われました。

「考古学は、地域に勇気を与える学問だ。それに対して日本書紀は、地域から勇気を奪うものである」

なぜかというと、古事記や日本書紀は、大和朝廷の立場に立って――（つまり、近畿の大和から地方を見て）まつろわぬ者ども――つまり、大和朝廷が祀る同じ神をちゃんと祀らない、違った神を信じている異人種で、どこどこで反乱を起こしたから退治したという話ばかり出てくるのです。それが、「そうなのか。我々は反乱を起こしたのか」つまり「日本の中心とは違う生き方をしていたのか」ということで、地方から勇気を奪う。

それに対して考古学は「それぞれの地に、それぞれの文化がある。そして勇気を与える」つまり、「大和と我々とは同じなんだ」ということを教えてくれる。

また、これは、森先生が言っておられたのではないのですが……古事記や日本書紀を中心にした「皇国史観」は——歴史をやった人は習っているでしょうが——天皇を中心とした「神の国・日本」という歴史観の一番中心にもなったわけですが、その時は考古学者がだらしなかった。

最初に神武天皇が即位してから、二千六百年も経っていないことは明らかです。考古学をやっている人は誰もが知っているのに、考古学者がはっきり発言しなかった。

本来、考古学は平和の学問であるという人もあります。

北のまほろば

さらに、今述べました作家の司馬遼太郎さん。この方は、先日来られたのも、『週刊朝日』が〝街道をゆく〟というシリーズ物を連載していまして、現在、青森を取り上げておられます。その題名が「北のまほろば」といいます。

この度、朝日新聞社がおこないましたシンポジウムは、司馬さんの了解を得て「北のまほろばシンポジウム」と、その言葉を使わせていただいたのです。司馬さんのつくられた言葉ではありますが、私は、この言葉が大変気に入っておりまして、青森県——津軽と南部と下北……とちゃんと書いておられますが——第一回目を引用いたし

ますと、

青森県を歩きながら、今を去る一万年から二千年前。

今日「縄文の世」と呼んでいる先史時代。

このあたりは、あるいは「北のまほろば」というべき国だったのではないか——という思いが深くする。


というふうに、書いておられます。

このときは「三内丸山」は、まだ報道されていなかったのですが、青森には亀ヶ岡遺跡（遮光土偶が出た）、是川遺跡、そして六ケ所にも大きな縄文の遺跡があります。それからの遺跡を知っておられて、そういうふうに言っている。「まほろば」というのは——日本武尊（ヤマトタケルノミコト）の歌に出てきます。日本武尊は、神話みたいな人ですが——彼が九州にある熊襲を討ったという、大和朝廷からみた英雄。まさに、中央からの見方にすぎないわけですが……。日本中のあちこちを征伐して歩いた。「東方十二ヶ国」を平定したとされています。これは、どこなんだろう。当時ですから、ここ（青森）あたりまで来ているわけではなく、せいぜい関東地方までなんでしょうけれども、そこ

まで遠征した帰り道、鈴鹿で病気になって倒れて死ぬわけです。そのときに、

大和は国のまほろば
たたなずく青垣
山ごもれる
大和しうるわし

死ぬときにつくった、辞世の歌です。大和――彼にとっては奈良の大和ですね。そこが国のまほろば――まほろばというのは、一番すばらしい、最高級の「地方」の褒め言葉なんですが、「青々とした山に囲まれた豊かな緑があって、すばらしい国だ――大和し美わし」と言って死んだわけですが、司馬さんはそれを使って、「縄文時代、青森県は、北のまほろばであったろう」と、書いておられます。つまり、もう一度司馬さんの言葉を引用させていただきますと、「私は『まほろば』とは、まろやかな盆地で、周りが山なみに囲まれ、物成りがよく、気持ちのよい野として理解したい。むろん、そこに人が住み、穀物が豊かに稔っていなければならないが……」と。

つまり、縄文時代、今の青森県は、気候も今よりずっと良くて、実り豊かな土地だ

ったろう……ということです。

メッセージ

昔はそうだったが、では、今はどうなんだろうということになります。それは、何でも一気にできるわけではないので、徐々にはじめていく。そういう土地に住んでいる皆さんに、どのように「まほろば」を実現していくのかという問題が課せられているのだろうと思います。

最初は、あの三内丸山の立派な遺跡をどう保存し、活用していくかというのが、今、青森にいる人達に問われている。これは、全国から注目されていることだろうと思います。

もう一つ持っている大きな意味は、今まで日本史をやっておられる方が持っている教科書です。教科書だから、いろんな検討はなされているのですが、それでもやはり、中央から見た歴史が——特に縄文時代に関して、今も色濃く残っているんじゃなかろうかと思います。それを別な場所から——例えば青森から見れば、富山から見れば、佐賀から、吉野ヶ里から見るとどうなるのか。同じようにまつろわぬ民でも、そこには立派な神様がいて、何の優劣もない。そこにまた文化がある——そういう見方が、できるんじゃなかろうか。見方を変えれば——違った場所から見れば、同じものが違うように見えてくる。

青森のネブタをどうするかという話がありまして、我々マスコミ関係者の意見を聞きたいということで、何回か会合を持ったことがありました。そのなかでも、私が驚いたのは、そこに来た人たちは、みんな「坂上田村麻呂（サカノウエノタムラマロ）伝説」を大切にし、そして「自分達は坂上田村麿呂に滅ぼされた——負けた側の蝦夷（エミシ）の子孫である」というふうに考えておられることである。

現在、青森に住んでいる人たちでさえ、青森からの見方をしないで、中央からの見方をする。そういう面が非常に強いのだなあという感じを抱きました。見方を変えれば、立場を変えれば、物が変わって見えてくるというのは、何も歴史の話だけではない。今の社会を見る場合でも、人を見る場合でも、あの人は、この人は、という場合でも、全てのものについて、言えることではないでしょうか。

つまり、今まで「こういう見方をするのが当然だ」と思われていたことを、「ちょっと待てよ」と、違う側面から見れば、どう見えてくるのか。これが、三内丸山の「縄文の人」が、今の我々に送ってくれている大事なメッセージではないかと、私はそのように思っております。

報道についての話は、ちょっと弱かったのですが、時間がまいりました。きょうの話は、これまでにしたいと思います。

ありがとうございました。

第六章

三内丸山遺跡ドキュメント〜発掘の軌跡

年	月日	出来事
1953（昭和28）	11	◎慶応大学が調査。はじめて発掘の手が入る。
1992（平成4）		◎県埋蔵文化財調査センターが新県営野球場建設のため緊急調査開始。巨大遺跡が徐々に偉容をあらわす。
1994（平成6）	7・15	◎直径80センチを超えるクリ材の木柱が出土。膨大な数の竪穴住居跡や墓、出土品から縄文時代最大級の集落であることがわかる。
	7・22	◎約32センチの板状土偶が完全な形で出土。
	7・26	◎北村知事が遺跡保存を決断。建設中の野球場工事は中止し移転の意向表明。
	7・29	◎国内最古級の漆塗り木製品出土。
	8・1	◎県が遺跡検討委員会を設置。初会合で球場建設の即時中止を決定。
	8・7	◎遺跡の現地説明会に2日間で約8千人が参加。
	9・1	◎縄文時代前期中頃（約5500年前）のヒョウタンの種子出土判明。5千年以上前としては世界最北。
	9・10	◎青森市三内中で東奥日報社主催の「三内丸山遺跡・縄文フォーラム」開催。
	9・21	◎谷の斜面から日本最古の杭列が出土。

1994（平成6）	9・22	◎直径95センチの木柱出土。国内で見つかった柱では最大（後に103センチのものが出土）。
	10・16	◎平成6年度の現地説明会終了。見学者のべ6万2千余人。
	10・28	◎「遺跡を21世紀に残す会」の募金活動スタート。
	11・18	◎遺跡が大手教育図書出版社の7年度版小6用社会科資料集に初登場。
	11・30	◎縄文時代前期、国内最古級の編布（あんぎん）とみられる編み物の断片出土。
	12・26	◎土壌分析によりクリの管理栽培の可能性が判明。
1995（平成7）	2・18	◎国立民族学博物館（大阪）でシンポジウム。
	3・9	◎県、野球場工事中止で4億余円の賠償金。
	3・18	◎遺跡の主な遺構復元や、遺跡を通る都市計画道のルート変更などを柱とする県総合運動公園遺跡ゾーン基本構想まとまる。
	5・23	◎遺跡の保存・活用を支援する民間の応援隊発足。
	8・15	◎復元予定の大型掘立柱建物に一部学者が異議。
	8・22	◎遺跡検討委、掘立柱建物を屋根付きで復元することで決着。
	10・15	◎三内丸山縄文フェスタ開催。
	10・20	◎土坑墓（どこうぼ）列の長さ165メートルを確認。縄文時代では類例のない規模（後に420メートルまで確認）。

1995（平成7）	11・5	◎東京で「三内丸山―吉野ケ里遺跡・古代シンポ」開催。
1996（平成8）	3・18	◎出土したクリの実は栽培されていた可能性大、とのＤＮＡ分析報告。縄文時代の植物の遺伝子抽出は国内はじめて。
	6・5	◎県が大型掘立柱建物の設計図公表。屋根なしでの復元に。
	8・2	◎見学者が50万人突破。
	10・18	◎国の文化財保護審、遺跡の史跡指定を答申。
	10・23	◎大型掘立柱建物のクリ巨木立ち上げ。検討委会合では復元で屋根をめぐり委員が論争。
	11・5	◎高さ14・7メートルの大型掘立柱建物が完成。
1997（平成9）	3・5	◎国史跡に正式指定、同日付の官報に告示。対象面積は約24万3千平方メートル。県内10件目。
	5・15	◎発掘調査委が発足。自然科学と考古学を連携させ、遺跡の全体像解明を目指す。
	7・1	◎見学者が１００万人を突破。
	10・3	◎八戸市で「三内丸山遺跡から是川遺跡へ～縄文人のものづくりを考える」をテーマに縄文フォーラム開催。

1997（平成9）	11・21	◎縄文人が利用したとみられるヒエの種子が見つかっていたことが明らかに。
	11・30	◎東京で三内丸山・縄文シンポ。全国4カ所の遺跡との関連探る。
1998（平成10）	5・21	◎約5000年前、縄文時代最古のムギらしいイネ科植物が「北の谷」などから3粒出土。
	7・20	◎青森市で「三内丸山から時を超えたメッセージ」をテーマに縄文フォーラム開催。
	9・25	◎遺跡西側から環状列石の可能性が高い配石遺構出土。
	10・21	◎国際狩猟採集民会議青森シンポジウムが東奥日報社などの主催で青森公立大で開幕。
	11・29	◎東京で三内丸山シンポ。北陸学院短大の小林正史助教授「縄文土器は弥生土器に劣らず」。
1999（平成11）	3・20	◎遺跡が栄えた年代は5800〜4100年前であることを国立歴史民俗博物館の辻誠一郎助教授らが指摘。
	6・16	◎見学者が200万人突破。
	7・23	◎とやま縄文フェス開幕、14都市による「縄文都市連絡協議会」発足。会長に青森市長。

年	月日	出来事
1999（平成11）	7・30	◎環状配石遺構の中から土坑墓が2基検出、「階層社会」裏づける。
	8・27	◎環状配石遺構の中からさらに新たな土坑墓1基発見、計4基に。
	9・24	◎弘前市で「三内丸山遺跡・縄文フォーラム99」開催。
	10・13	◎環状配石の下から、木棺墓見つかる。
	12・2	◎整備検討委が公園センター（仮称）の模型を公表。
	12・5	◎東京で三内丸山縄文シンポ99開催。
2000（平成12）	7・15	◎大島理森文相が視察し「国特別史跡の指定を前向きに検討したい」と述べる。
	8・10	◎佐々木正峰文化庁長官が視察。
	8・21	◎見学者が250万人突破。
	8・27	◎県総合運動公園遺跡ゾーンの愛称を発表。縄文の丘「三内まほろばパーク」に。
	9・13	◎北側斜面から出土していた5500年前の原始的なムギ（1粒）はイネ科の雑草の一種であるカラスムギの可能性が高いことが判明。
	9・15	◎月下の「縄文夜学」に70人参加。
	9・25	◎県教委が文化庁へ国特別史跡指定を申請。
	10・10	◎西盛土の外側に20メートルの新たな土坑墓列が見つかる。
	10・24	◎遺跡北西部で直径50センチの本柱を取り上げ、年輪を測定し、正確な「縄文暦」作成の資料に。

年	月日	出来事
2000（平成12）	11・17	◎国特別史跡に指定。縄文遺跡としては44年ぶり。
	11・27	◎青森市で「三内丸山縄文フォーラム２０００」開催。
	11・28	◎青森市で「国特別史跡指定を祝う会」開催。関係者３００人が参加。
	12・28	◎三内丸山発掘調査チームが司馬遼太郎賞を受賞。
2001（平成13）	1・2	◎三内丸山の世界遺産登録めざす。
	3・15	◎三内丸山クリ木柱４８００年前に伐採されたと判明。
	3・15	◎三内丸山でシャコ、イカが出土。
	5・26	◎縄文人の食生活は植物に依存したとの研究。
	7・7	◎県教委、青森市教委、中国社会科学院考古研究所、東奥日報社など四者による日中共同研究発掘調査が中国内モンゴル自治区の興隆溝遺跡ではじまる。
	11・16	◎「三内丸山・縄文フォーラム２００１」開催。
	11・20	◎三内丸山マスコットキャラクター決定。
2002（平成14）	1・29	◎三内丸山公園センターの名称、縄文時遊館に決定。
	3・8	◎三内丸山マスコットの名前が「さんまる」に決定。
	6・14	◎11基目の環状配石墓、南北にのびる「墓の道」東側から出土。

年	月日	出来事
2002（平成14）	7・26	◎見学者が300万人に。
	10・17	◎平山郁夫さん三内丸山でスケッチ。
	10・29	◎三内丸山で環状配石墓新たに6基。
	11・22	◎青森市で「縄文フォーラム2002」開催。
	11・30	◎三内「縄文時遊館」オープン。
2003（平成15）	4・18	◎「縄文時遊館」国重文常設展示できず。
	9・4	◎三内丸山応援隊案内者が150万人に。
	9・6	◎4道県が「北の縄文回廊」構築へ。
	10・11	◎日中共同研究北京フォーラム開催。3年間の成果凝縮。
	10・25	◎三内丸山から新たな「縄文ムギ」発見。
2004（平成16）	1・30	◎縄文フォーラム日中共同研究3年間の研究総括。
	2・20	◎三内丸山遺跡、県が有料化構想。検討懇話会で議論百出。
	8・28	◎三内丸山で「お月見縄文祭」開催。古代の音を想像する催し。
	8・29	◎中国学術交流団が三内丸山を視察。
	11・1	◎見学者数400万人突破。

年	月・日	出来事
2004（平成16）	11・21	◎文化庁、三内丸山出土品などをベルリンで展示。
2005（平成17）	1・19	◎三内丸山の国重文を県立美術館に。
	1・21	◎県、三内丸山遺跡の有料化断念。
	1・28	◎青森市で「縄文フォーラム2005」開催。
	3・5	◎三内丸山遺跡で「縄文食」試食会。
	6・5	◎縄文時遊館が入館者100万人達成。
	8・8	◎三内丸山応援隊が10周年記念誌を発行。
	8・20	◎青森市で「北の縄文文化フォーラム」開催。
	9・15	◎焼失住居は土屋根の可能性濃厚と、県教委が調査報告。
	10・11	◎縄文遺跡群の世界遺産登録目指す。
	10・12	◎三内丸山遺跡の新展示施設を検討。
	10・21	◎三内丸山遺跡の出土品データベース化はじまる。
	11・4	◎青森市で「縄文シティサミット」開催。
	11・27	◎「縄文時遊館」が3周年イベント開催。
	12・31	◎世界遺産目指し、関西で本県縄文展を開催。

年	月日	事項
2006（平成18）	7・7	◎見学者数４５０万人を突破。
	9・5	◎県内縄文遺跡群の世界文化遺産登録推進を目指し、民間企業や団体が「『青森県の縄文遺跡群』世界遺産をめざす会」を設立。
	9・15	◎遺跡北西端部から新たに縄文時代中期の木柱４本出土。
2007（平成19）	1・11	◎「あおもり縄文まほろば展」を大阪市大阪歴史博物館で開催。
	6・28	◎環状配石墓の内容確認。
	7・20	◎「あおもり縄文まほろば展」を東京墨田区の江戸東京博物館で開催。
	10・18	◎見学者数５００万人を突破。
	12・19	◎北東北三県と北海道による、縄文遺跡群の世界文化遺産登録を目指す取り組みで、四道県の知事が国内候補の暫定一覧表入りを求める提案書を提出。
2008（平成20）	9・26	◎文化庁が「北海道・北東北の縄文遺跡群」を我が国の正式な候補である「暫定リスト」に追加掲載することを決定。
	9・30	◎４基の環状配石墓を調査。
	11・22	◎「あおもり縄文展　ＪＯＭＯＮを世界へ、三内丸山からの発進」を福岡県太宰府市の九州国立博物館で開催。

年	月日	出来事
2009（平成21）	6・20	◎三内丸山遺跡を核に据える「北海道・北東北を中心とする縄文遺跡群」の世界遺産登録へ、四道県が事業推進するための協定書を締結。
	8・24	◎遺跡でボランティアガイドをしている「三内丸山応援隊」の通算案内者数200万人達成。
	9・25	◎西盛土の発掘調査開始。
2010（平成22）	7・9	◎縄文時遊館に重要文化財などの出土品を展示する「さんまるミュージアム」がオープン。
	9・29	◎新たに西盛土南端の範囲を確認。
	10・28	◎見学者数600万人を突破。
	12・14	◎NPO法人「三内丸山縄文発信の会」が文化庁長官に表彰される。
2011（平成23）	1・19	◎NPO法人「三内丸山縄文発進の会」が、三内丸山遺跡などの縄文遺跡や縄文文化などについて幅広い知識を問う「Theじょうもん検定」を実施。
	7・1	◎重要文化財の通称「縄文ポシェット（編籠）」の素材が、ヒノキ科の樹皮だったことが判明。
	7・8	◎縄文時代中期後半（約4300年前）のものとみられる土器に、人物が描かれていたことが判明。

年	月・日	事項
2012（平成24）	7・2	◎竪穴住居を県民の手で復元する県教委主催の「縄文の家づくり体験」開始。
	9・26	◎新たに西盛土の東端の範囲を確認。
2013（平成25）	3・29	◎「北海道と北東北を中心とした縄文遺跡群」について、政府がユネスコに出す薦書の基となる「登録推薦書協議案」を文化庁に提出。
	9・10	◎西盛土西側で、道路跡とそれに沿った土坑墓列が南東に延びていることを確認。
	10・19	◎縄文時遊館の展示室「さんまるミュージアム」の入場者数が50万人を突破。
2014（平成26）	4・8	◎世界文化遺産登録を目指す「北海道・北東北の縄文遺跡群」を紹介する子ども向けホームページ「ＪＯＭＯＮぐるぐる」を公開。
	5・3	◎見学者数７００万人を突破。
	7・31	◎西盛土の北西側から大規模な溝状遺構を新たに確認。

著者略歴

佐藤　力（さとう　ちから）

1935年青森市生まれ。
東北大学教育学部卒業。
青森県立青森東高等学校教員。
青森県立青森北高等学校校長。
青森県立青森工業高等高校校長。
青森県情報処理教育センター所長。
青森県高等学校校長協会会長。
青森県高等学校野球連盟会長。

大岡静二（おおおか　せいじ）

1952年青森市生まれ。
青森県立青森東高等学校卒業。
明治大学農学部農芸化学科卒業。

安在人美（あんざい　ひとみ）

1991年東京生まれ。
国立音楽大学附属高等学校。
国立音楽大学音楽文化デザイン学科卒業。

金沢　毅（かなざわ　つよし）

1952年青森市生まれ。
青森県立青森東高等学校卒業。
法政大学文学部史学科卒業。

友清裕明（ともきよ　ひろあき）

1943年大阪市生まれ。
東京大学原子力工学科卒業。
朝日新聞社入社、科学部所属。
同ブリュッセル支局長。
同科学部次長。
同科学部長。
同青森支局長。

カバーイラスト　林亜矢子
挿入イラスト　青木巴莉奈　安在人美

縄文へ還ろう ～三内丸山遺跡、五大文明への道～

2021年4月15日　初版第1刷発行

著　者　大岡 静二・佐藤 力
発行者　韮澤 潤一郎
発行所　株式会社 たま出版
〒160-0004 東京都新宿区四谷4-28-20
☎ 03-5369-3051（代表）
FAX 03-5369-3052
http://tamabook.com
振替　00130-5-94804

組　版　一企画
印刷所　株式会社エーヴィスシステムズ

©Ooka Seiji, Satou Chikara 2021 Printed in Japan
ISBN978-4-8127-0448-6　C0011